SO-AFZ-534

LES COMBATS D'ACHILLE

Mano GENTIL
Illustration : Élène USDIN
Dossier : Marie-Thérèse DAVIDSON

Nathan

*Les * dans le texte renvoient au lexique en fin d'ouvrage.*

Les Combats d'Achille

Collection dirigée par Marie-Thérèse Davidson

© Éditions Nathan/VUEF (Paris-France), 2003
Loi n°49-956 du 16 juillet 1949 sur les publications destinées à la jeunesse,
modifiée par la loi n° 2011-525 du 17 mai 2011.
ISBN 978-2-09-282616-4

PROLOGUE

Debout à la proue du navire, Achille laisse son regard courir sur l'horizon. Il ne se lasse pas du spectacle, toujours le même et toujours aussi enivrant. Mille voiles couvrent la mer scintillante : l'armée grecque au grand complet fait route vers l'Asie, vers Troie la voleuse. Les Grecs, tous unis pour une fois, s'apprêtent à venger l'honneur d'un des leurs, le roi Ménélas, dont l'épouse a été enlevée par un prince troyen.

– Et dire que j'ai failli manquer cette aventure… murmure le jeune homme, avec un sourire heureux.

– Que dis-tu, Achille ? lui demande son compagnon Patrocle, qui vient d'arriver.

– Chaque jour, à chaque instant, je m'émerveille d'être là, avec vous, avec mes Myrmidons[1], avec les plus grands guerriers grecs ! Je vais enfin connaître la guerre et la gloire !

Autour de l'étrave, les vagues agitent leur chevelure d'écume et murmurent en écho :

– *la guerre et la gloire…*

– *la guerre… la gloire…*

– *la gloire… et la mort…*

– *… et la mort !*

Secouant ses boucles blondes, Achille se tourne vers son ami :

– Décidément, ma mère n'abandonne jamais ! Elle me poursuivra jusqu'à Troie !

– Plains-toi ! répond Patrocle – aussi brun que son ami est blond. Avoir pour mère la Néréide[2] Thétis est une chance et un honneur que tout le monde t'envie !

Achille ne répond pas.

Une chance… Un honneur…

Doucement bercé par la houle, son esprit s'échappe, part à la dérive, loin, bien loin de là, vers les rivages de son enfance…

1. *Peuple de Thessalie (Grèce).*
2. *Les cinquante Néréides, ou filles de Nérée, dieu marin, personnifient les vagues de la mer.*

Une chance… Un honneur…

Ce n'est sûrement pas ce que pensait son père Pélée, le roi des Myrmidons, après avoir vu mourir ses six premiers enfants. En effet, son épouse Thétis, déesse immortelle, ne pouvait se résoudre à voir disparaître ses enfants : qu'ils aient seulement quelques dizaines d'années à vivre, c'était bien trop peu à ses yeux ! Alors, elle tentait de les rendre sinon éternels – elle n'en avait pas le pouvoir – du moins invulnérables. Or il n'existait que deux moyens pour cela : le feu, ou l'eau du Styx[1] ! Et les six premiers enfants étaient tous morts, noyés ou dévorés par les flammes…

Son père lui avait si souvent raconté l'histoire de sa naissance…

---

1. *Fleuve des Enfers*, dont l'eau a le pouvoir magique de donner la vie ou la mort.*

CHAPITRE 1
ENFANCE

T hétis attendait un septième enfant, et Pélée le voulait VIVANT, même si cela ne devait durer que le temps d'une vie d'homme. Il était donc bien décidé à empêcher, coûte que coûte, son épouse d'agir à son gré !

Mais depuis neuf jours, un ciel orange coiffait le royaume des Myrmidons. La foudre de Zeus* s'abattait aux quatre coins de la terre et personne ne savait vraiment où, quand, ni qui elle allait frapper. Pélée y voyait un funeste présage pour la naissance de son fils.

Le jour de l'accouchement, il se rendit au palais

et trouva Thétis allongée sur son lit de pourpre. Son ventre rond tendait le drap de lin blanc qui la couvrait. Autour d'elle, des servantes s'affairaient : l'une faisait chauffer de l'eau et brûler de l'encens sur un brasero, une autre arrangeait les coussins sur lesquels sa maîtresse était allongée. Impressionné, Pélée n'osa entrer, et s'enfuit dans une salle voisine.

Il resta là, à tendre l'oreille. Il ne tarda pas à entendre des gémissements, de plus en plus forts, et brusquement, un cri, reconnaissable entre tous, lui apprit que son fils était né.

Il se rapprocha alors et jeta un coup d'œil par l'embrasure.

Thétis avait les yeux fermés, et une larme roulait sur sa joue. Une servante vint déposer entre ses bras le petit corps vagissant. Sa mère se pencha vers lui et murmura tendrement :

– Mon petit, mon tout petit… Je ne peux me résoudre à t'abandonner à ton malheureux sort. Tu vas voir, ce n'est rien… Il ne faut pas avoir peur, tu sais. Après, plus rien ne pourra t'atteindre ni te blesser. Tu vivras, toi, j'en suis sûre. Oh oui, je ne veux pas que tu meures comme les autres !

Pélée entendit distinctement ces derniers mots, et, un court instant, se prit à espérer : renonçait-elle à ses pratiques meurtrières ?

Mais déjà la déesse se tournait vers sa servante :
– As-tu préparé le feu ?
– Oui, divine Thétis. Nous ferons comme pour les autres… Je serai à vos côtés.
– Merci ma bonne Aréthuse, toi au moins tu me soutiens. Ce n'est pas comme ce pauvre Pélée qui ne comprend rien. Mortel il est né, mortel il restera !

Pélée, furieux, recula : ce n'était pas le moment d'être découvert !

Quelques minutes plus tard, il entendit la servante annoncer que tout était prêt, puis Thétis remua sur sa couche et parla à voix basse. Il était temps d'agir.

Passant la tête par l'embrasure de la porte, il découvrit un spectacle qui l'épouvanta. Son épouse venait de plonger le bébé dans les flammes du brasero. Sans réfléchir davantage, Pélée s'élança au secours de son fils. Il l'arracha des mains de sa mère et s'enfuit avec lui, abandonnant là Thétis atterrée.

Quelle chevauchée ! Pélée voulait cacher son fils pour soigner tranquillement ses blessures. Mais à y regarder de plus près, seul le talon droit de l'enfant semblait avoir souffert, et montrait de sérieuses brûlures. Quant au reste du corps, il semblait devenu inaltérable : même quand l'enfant se griffait avec ses petits ongles, il n'avait jamais la moindre égratignure !

– Aurait-elle réussi cette fois ? se demandait Pélée.

Mais il n'était pas question de faire marche arrière. Le roi préférait mettre son nouveau-né à l'abri, loin de sa dangereuse épouse.

Qui mieux que son ami Chiron, le Centaure* qui vivait sur le mont Pélion[1], pouvait l'aider dans ces moments difficiles ? Cet être fabuleux, mi-homme, mi-cheval, connaissait tout des plantes et des onguents qui guérissent, des gestes qui sauvent. Il opéra le petit Achille, remplaçant l'os de son talon, mangé par les flammes, par celui d'un géant mort, célèbre en son temps pour sa rapidité à la course.

– Peut-être Achille héritera-t-il de sa vitesse, plaisanta Pélée.

– Pourquoi pas ? répondit Chiron. Par contre, je n'ai pas les pouvoirs de Thétis, et je ne peux rendre ce talon invulnérable comme le reste de son corps ! Plus tard, il devra veiller à ne pas se blesser à cet endroit, car c'est le seul qui puisse mettre sa vie en danger. Mais revenons à la vitesse. Est-ce là tout ce que tu souhaites pour ton fils ?

– Mais non, Chiron ! Enfin, si : j'aurais plaisir à avoir un fils rapide à la course et fort au combat. Mais cela ne suffit pas : je le voudrais aussi courageux que fort, et aussi sage que courageux. C'est d'ailleurs pour cela que

1. *Montagne de Thessalie, au nord-est de la Grèce.*

je suis venu jusqu'ici avec lui : je voudrais que tu t'oc-
cupes de mon enfant tant qu'il est petit. Nul mieux que
toi ne saura lui faire acquérir force et courage, douceur
et sagesse.

C'est ainsi qu'Achille, fils de Pélée, grandit loin des
hommes, sur les flancs sauvages du mont Pélion.

À peine sut-il marcher que Chiron l'habitua à de
grandes chevauchées, en l'installant à califourchon
sur son large dos de cheval. Ses petits bras crispés
autour du puissant torse humain, l'enfant se laissait
griser avec délice par le vent sur son visage, dans ses
cheveux.

Mais cela ne dura qu'un temps : un beau jour,
Chiron refusa de laisser l'enfant s'installer sur son dos
comme à l'accoutumée. Achille, furieux, se mit à pleurer, crier, trépigner… Rien n'y fit, Chiron ne broncha
pas et attendit qu'il se calme.

– Tu aimes courir ? lui dit-il. Eh bien, courons ! Je te
propose de faire la course avec moi.

– Avec toi, Chiron ! Mais je n'y arriverai jamais : tu es
si grand, et moi si petit ! Et je n'ai que deux jambes,
alors que toi, tu as quatre pattes ! Comment veux-tu
que je gagne ?

– Justement, Achille. Si tu veux pouvoir un jour utiliser
toutes les ressources que tu as en toi, il faut t'y exercer

dès aujourd'hui. Et il ne sert à rien de se mettre en colère, souviens-t'en.

Ce jour-là, Achille arriva bien loin derrière son maître ; le lendemain un peu moins loin, le surlendemain, encore moins. Jusqu'au jour où il rattrapa Chiron, puis le dépassa…

Ainsi, sans jamais abuser de son autorité, sans se laisser non plus impressionner par les accès de colère de son élève, le Centaure l'aida à développer ses dons – qui étaient nombreux !

À sept ans, alors que d'ordinaire les enfants quittent à peine leur mère et la tiédeur du gynécée[1], Achille pouvait déjà se mesurer à la course ou à la lutte avec n'importe quel homme, et même avec n'importe quel animal.

Lions, ours et sangliers ne l'effrayaient pas. Il n'avait pas besoin d'armes pour se battre contre eux : comme il était invulnérable, il ne craignait pas plus les griffes acérées du lion que les puissantes défenses du sanglier ! Rien ne pouvait entamer sa peau, rien ne le blessait. De plus, dès sa prime enfance, Chiron l'avait nourri des entrailles de ces animaux, pour qu'il acquière leur force et leur intrépidité…

Mais Chiron ne se contenta pas de cela. Fidèle au souhait de Pélée, il nourrit aussi son élève de miel

1. *Appartement des femmes.*

pour donner de la douceur à ses paroles, il lui apprit à chanter en s'accompagnant de la lyre, à cueillir les plantes qui guérissent, à composer potions et onguents… Il enseigna également à Achille à respecter les dieux et leurs lois, à suivre le chemin du bien et de l'honneur… Et son élève était si doué, il faut bien le dire, qu'il en fit un enfant parfait – ou presque.

Presque seulement, parce que, malgré ses efforts pour contenter son maître, Achille avait toujours du mal à maîtriser les colères qui le submergeaient.

Les entrailles des bêtes fauves ne lui avaient pas seulement donné la force… La sauvagerie aussi.

Puis il avait dû partir, retourner chez les humains pour y recevoir l'éducation qui convient à un prince. Le seul objet qu'il avait emporté de chez Chiron était la lance de frêne que son maître lui avait offerte pour lui témoigner sa confiance. Aujourd'hui encore, il la conservait précieusement, en souvenir du Centaure.

Il avait tout juste sept ans quand il était arrivé au palais de Phthie, la ville du roi Pélée, pour y mener une vie d'homme, et y apprendre le métier d'homme, celui de guerrier. C'était Phœnix alors qui avait veillé à son éducation, et à celle de Patrocle, son cousin.

Un peu plus âgé qu'Achille, Patrocle devint rapidement son plus cher ami. Pendant deux ans, ils partagèrent bagarres et confidences, concours et fous rires. Ensemble, ils écoutèrent les récits de Phœnix, et palpitèrent aux aventures de Jason et d'Héraclès. Ensemble, ils apprirent le maniement des armes, arc, épée, javelot. En tout, Achille était le meilleur, pourtant Patrocle lui tenait tête hardiment. Les deux cousins étaient inséparables.

Mais un jour…

Un jour, sa mère, qu'il n'avait pas revue depuis sa naissance, sa mère, qu'il ne connaissait pas, ou si peu, sa mère réapparut. Sans prévenir, sinon par un songe. Réveillé en sursaut, Achille la vit, debout à côté de son lit. Il sut tout de suite que c'était elle. Aussi blonde que lui, Thétis était si belle, si grande, qu'on ne pouvait la confondre avec une mortelle.

– Mère, ma mère !

– Mon fils, mon adoré, mon beau garçon…

Submergés par l'émotion, secoués par les sanglots, ils pleurèrent un long moment dans les bras l'un de l'autre, se détachant parfois pour se contempler mutuellement.

– Mère, si longtemps sans vous voir… Comment, comment avez-vous pu ?

– C'est une longue histoire. Qui m'a rendue très malheureuse, tu sais… Mais ton enlèvement a provoqué entre ton père et moi une brouille si violente que j'ai rejoint mes sœurs au fond de l'océan, sans intention de retour. Et puis, entre Chiron et Phœnix, je savais que tu recevais une excellente éducation. Pourtant, tu m'as tellement manqué ! Tu es si beau, mon fils, avec tes boucles blondes !

Prévenant tout nouvel accès d'attendrissement, Achille se dégagea de l'étreinte de sa mère.

– Pourquoi revenir aujourd'hui, alors ?

– Je suis venue te chercher. Je t'emmène dès ce soir.

– Et d'où vient cette précipitation ? Que se passe-t-il d'exceptionnel ?

– C'est à cause de la prédiction de Calchas…

– Calchas, le devin* de l'armée grecque ? Qu'a-t-il bien pu prédire à mon sujet ?

– Ainsi, tu sais qui est Calchas et tu es au courant de l'expédition qui se prépare ?

– Oui, je sais qu'Agamemnon, le roi de Mycènes, a décidé de venger l'honneur de son frère Ménélas, celui dont Pâris* a enlevé la femme, Hélène. Et pour cela, il réunit en ce moment tous les chefs grecs pour attaquer Troie, la ville de Pâris. Mais en quoi cela me concerne-t-il ?

– …

– Mère, j'ai le droit de savoir, j'ai neuf ans, insista Achille devant le silence de Thétis.

– Soit, tu vas comprendre. Calchas a prédit que la ville de Troie serait prise grâce à toi.

Devant le sourire heureux qui éclairait le visage de son fils, Thétis s'empressa de poursuivre :

– Seulement, il a ajouté que tu en mourrais. Alors, je t'emmène aujourd'hui-même loin d'ici, dans un lieu connu de moi seule. Je ne tiens pas à ce que l'on te retrouve… Sinon, ils viendraient te chercher, et je ne peux pas laisser faire ça ! Je ne puis accepter que ton destin soit si pitoyable et ta vie si éphémère.

– Mais ma mère, si le devin l'a prédit…

– Plaise au ciel que je ne t'entende plus jamais prononcer ces mots. Viens, dès ce soir nous partons…

CHAPITRE 2
AU PALAIS DE SCYROS

Depuis cinq ans, le gynécée du palais de Scyros résonnait de rires et de chants grâce à Pyrrha, la blonde protégée du roi Lycomède. Jeunes et vieux, elle charmait tout le monde avec sa voix chaude qu'elle accompagnait de sa lyre. Mais la plus sensible à son charme était la jeune Déidamie, fille cadette du roi, au point que les deux amies ne se quittaient plus.

Ce jour-là, le jardin retentissait des cris joyeux des demoiselles de la cour. Depuis maintenant une heure, Pyrrha et Déidamie avaient disparu.

– Je sais que vous êtes dans le jardin. Cessons là ces enfantillages !

Clymène, la fille aînée de Lycomède, s'égosillait sans parvenir à mettre la main sur les deux farceuses. Cependant, cette partie de cache-cache commençait à l'irriter.

– Déidamie, si tu ne te montres pas immédiatement…

– Que feras-tu, si elle ne se montre pas ? intervint ironiquement la jolie Pyrrha qui venait de réapparaître comme par enchantement, bientôt suivie de son amie.

Les trois jeunes filles rirent et s'embrassèrent avec effusion. Les fleurs autour d'elles embaumaient. C'était un matin heureux, comme les milliers de matins qui les avaient vues ouvrir les yeux. Pyrrha serra dans ses bras Déidamie et déposa un baiser sur son front. La jeune fille rougit et regarda avec crainte du côté de sa sœur. Heureusement, celle-ci avait déjà pris le chemin de la maison et n'avait rien vu. Elle cria même, sans se retourner :

– Dépêchons-nous. Le repas doit être servi et aujourd'hui, des huîtres nous attendent.

– Quel bonheur ! s'extasia Pyrrha. Pouvoir respirer l'air de la mer, manger les produits de la mer, aimer les filles de la mer !

À ces mots, Déidamie pinça le bras de son amie et posa un doigt sur ses lèvres.

– Reste prudent, je t'en prie. J'ai peur que ma sœur ne t'entende !

Au même instant, Clymène se retourna et demanda :
– Que complotez-vous encore toutes les deux ? Il faudrait songer à devenir sérieuses. Vous êtes en âge de trouver un époux et je crois que père a son idée là-dessus...

À ces mots, Déidamie laissa échapper un petit cri et se retint à l'épaule de Pyrrha. Clymène se précipita vers elle :
– Ma sœur, ma petite sœur, que t'arrive-t-il ? Tu es plus pâle qu'une statue.
– Ce n'est rien. Pars avec Pyrrha, je vous rejoindrai dans un moment. Je n'ai pas faim...

Mais Pyrrha ne voulut pas la laisser seule. Elle la soutint et l'emmena près d'un bassin où tombait en gerbe une eau chantante. Là, elle humecta doucement les tempes de Déidamie et lui murmura :
– Je suis là, mon amour. Sois forte. Bientôt nous déclarerons notre secret au grand jour.

La jeune fille reprit de la vigueur au son de la voix de son amoureux – car Pyrrha n'était autre qu'Achille. Achille, travesti par sa mère à son arrivée sur l'île de Scyros afin que personne, absolument personne, ne puisse retrouver sa trace : seul le roi Lycomède était dans le secret. Mais Thétis avait oublié que l'enfant deviendrait un jeune homme... Or Achille, sous l'apparence de Pyrrha la Blonde, devait tomber éperdument amoureux de la plus belle des filles de Lycomède, et faire échouer les savants calculs de sa mère.

Depuis plusieurs semaines maintenant, Déidamie se plaignait de faiblesses et préférait garder le lit.
Clymène montait bonne garde auprès d'elle. Malgré les précautions prises par sa cadette, elle avait compris d'où venaient ses *faiblesses* : elle attendait un enfant. Un enfant d'Achille. Tiraillé entre la volonté de sa mère et son amour pour la future maman, le jeune homme, résolu à dévoiler son secret, ne l'avait toujours pas fait…

Les jours passaient et se ressemblaient. Pourtant, aujourd'hui n'était pas une journée comme les autres : les marchands avaient envahi la cour d'honneur et s'apprê-taient à présenter étoffes et bijoux aux jeunes princesses. Le palais résonnait du piaffement des chevaux et de l'aboiement des chiens.

Ce tumulte réveilla Déidamie. Elle chercha à se sou-lever, mais sentit son ventre pris de douleurs. C'était comme une vague qui roulait en elle et la submergeait. Elle ne savait dire s'il s'agissait d'une souffrance ou d'un plaisir. Ce qui était certain, c'est qu'elle ressentait quelque chose d'inconnu. Elle appela sa servante et implora :

– Doris, va vite chercher ma sœur et avertis ma bonne

amie Pyrrha. Dis-leur que le jour est venu…

Doris disparut comme une ombre. Elle savait ce que voulait dire sa jeune maîtresse, elle-même avait eu quatre enfants avant d'être vendue comme esclave. Heureusement, les dieux lui avaient permis de croiser le chemin de Lycomède, qui l'avait achetée pour lui confier sa plus jeune fille. Depuis bientôt quatorze ans, elle ne quittait plus Déidamie. Elle connaissait toutes ses peurs, toutes ses joies et protégeait tous ses secrets. Aussi n'avait-elle jamais parlé de ces nuits où elle entendait des rires et des soupirs dans la chambre de sa jeune maîtresse. Jamais elle n'avait dénoncé au roi les visites de Pyrrha à sa fille. Jamais elle n'avait même cherché à découvrir qui se cachait sous le nom, les traits, les vêtements de Pyrrha.

Pyrrha s'était glissée dans un renfoncement de la pièce principale des femmes. Penchée à une ouverture, elle observait la cour où s'étaient arrêtés les marchands. Ses yeux allaient et venaient. Pour un peu, la jolie blonde devenait aussi curieuse que ses compagnes, elle qui d'habitude se moquait de leur impatience quand elles attendaient que les marchands aient fini leur repas, comme le voulait la coutume. Soudain, Doris fit irruption dans la pièce et se jeta à ses genoux :
– Ma jeune maîtresse est au plus mal. Elle m'a dit de

vous rapporter ces mots : le jour est venu…

Le sang d'Achille ne fit qu'un tour.

– Je crois que tu as compris ce qui se passe. Inutile de cacher la vérité plus longtemps. Dois-je venir tout de suite ? demanda-t-il en relevant le voile qui lui couvrait le visage.

La servante scruta le fin visage encadré de cheveux blonds : seul le menton volontaire indiquait que c'était celui d'un homme.

– Je t'avertirai quand ton enfant sera né, répondit-elle.

Le soleil était maintenant au zénith. Il donnait l'impression que le jour n'en finissait pas de grandir. Achille faisait les cent pas. Il écoutait les bruits du palais. Les marchands étaient toujours attablés et menaient grand tapage. Tout à coup, un son aigu perça le brouhaha. Il s'arrêta, tendit l'oreille, cessa de respirer, ouvrit grand les yeux : il ne s'était pas trompé, le bébé venait de pousser son premier cri. Fou de joie, Achille se hâta au chevet de Déidamie. La vieille sage-femme tenait le nourrisson par les pieds. Celui-ci se débattait furieusement et hurlait à pleins poumons. Achille le prit dans les bras en éclatant d'un rire sonore :

– Aurais-tu peur d'être jeté au feu à ton tour ?

En entendant la voix du jeune homme, le bébé s'arrêta net. Achille s'en émerveilla :

– Tu as reconnu en moi ton père ! Alors tu porteras le nom de Pyrrhos en souvenir de Pyrrha que j'étais !

Mais la jeune maman se mit à sangloter. Achille se tourna vers elle et lui tendit l'enfant :

– Pourquoi ce chagrin ? N'est-ce pas là le plus beau jour de notre vie ?

– Oui, mais j'ai peur. Peur de… Peur de te voir partir.

– Quelle drôle d'idée !

– J'ai un pressentiment… Comme si tu devais t'éloigner de moi dès aujourd'hui.

Achille n'eut pas le temps de répondre. Déjà, le tumulte des marchands résonnait à ses oreilles. Il ne pouvait s'absenter trop longtemps. Il devait rejoindre les autres jeunes filles du palais afin d'acheter des étoffes de Sidon[1] et de nouveaux bracelets d'argent. Avec tout ce remue-ménage, le moment était mal choisi pour révéler leur secret. Mieux valait attendre le lendemain.

Quand il arriva dans la cour intérieure, Achille se mêla au joyeux désordre féminin. Sous le voile qu'il avait rabattu devant son visage, son regard s'assombrit. Il n'avait que faire de toutes ces babioles et il avait du mal à calmer la fougue qui s'était emparée de lui. Il se sentait l'âme d'un homme, maintenant qu'il était père.

Brusquement, un cliquetis reconnaissable entre mille vint tinter à ses oreilles. Achille se figea, tous ses

1. *Ville de Phénicie dont les étoffes étaient réputées.*

sens en éveil, certain d'avoir entendu s'entrechoquer deux lames. Ce léger bruit de fer avait fait naître en lui des images qu'il croyait avoir oubliées. Images de corps qui s'entrechoquent lors d'un combat ou de lames qui se croisent. Achille, pris de tremblements, s'avança pour regarder les objets posés sur la couverture de lin : au beau milieu des tissus, des bijoux d'or et d'argent, il repéra une dague au manche d'ivoire orné de pierres précieuses et s'en empara. Un des marchands s'adressa à lui :

– J'ai d'autres bijoux comme celui-ci ! Jette un œil dans ce sac de toile !

Sans attendre, Achille en sortit un sabre splendide qu'il fit tournoyer dans les airs. Au même moment, le son tonitruant d'une trompette retentit dans la cour principale, faisant fuir femmes et jeunes filles. Achille, seul avec les marchands, comprit à leur regard la vision incongrue qu'il offrait : une silhouette apparemment féminine, pudiquement voilée, maniant un sabre ! Il réalisa qu'il était tombé dans un piège, qu'il venait de se trahir. Mais finalement, malgré son désir de ne pas attrister sa mère, en était-il vraiment fâché ?

Quand la trompette retentit à nouveau, sa musique parut plus douce à son cœur que toutes les mélodies qu'il avait tirées de sa lyre ces dernières années. Il sut alors que loin d'être fâché contre le *marchand* qui venait ainsi de le révéler à lui-même, il lui en était reconnaissant.

Il se tourna vers l'homme :

– Ta trompette n'est pas l'instrument d'un marchand ! Qui es-tu pour savoir si bien piéger ton prochain ?

– Je suis Ulysse, roi d'Ithaque. Agamemnon et les autres rois grecs m'ont désigné comme ambassadeur pour t'inviter à te joindre à notre expédition. Tu sais peut-être que ta présence sera garante de notre victoire sur Troie.

– Je le sais. Mais comment m'as-tu trouvé ici ?

– Tu n'étais pas à Phthie, la ville de ton père Pélée. Après des mois et des années de vaines recherches, j'ai fait appel aux dons de voyance de Calchas…

– Calchas ! Encore ! s'écria Achille, partagé entre la colère et la joie. C'est vraiment un fameux devin ! Allons, c'est décidé, je pars avec vous !

Mais, ma tendre Déidamie… Comment lui dire ? Mon fils vient à peine de naître, je ne peux l'abandonner déjà !

– Crois-tu que tu es le seul que la guerre prive d'une épouse et d'un enfant ? Moi-même…

Ulysse toussa pour chasser l'émotion qui l'étreignait. Achille apprendrait plus tard que le roi d'Ithaque avait tout fait pour éviter de partir à la guerre, allant jusqu'à simuler la folie. Mais, démasqué, il avait fini par rejoindre l'armée grecque, laissant au palais sa femme et son enfant nouveau-né.

« Est-il un autre choix pour un homme digne de ce nom ? se demanda Achille. Certainement pas, répondit-il en son for intérieur. Il n'y a qu'à la guerre que les hommes révèlent leur véritable noblesse. »

CHAPITRE 3
PREMIÈRES CONTRARIÉTÉS

À Phthie, Achille retrouva avec un immense plaisir son père, son maître Phœnix et Patrocle, le cher compagnon de son enfance. Au terme de longs préparatifs, Achille, son maître et son cousin prirent enfin la mer pour aller prêter main-forte à Agamemnon, le roi des rois.

Durant tout le voyage, la nymphe Thétis escorta son fils, fendant les flots près de l'étrave du navire, essayant désespérément de le faire changer d'avis.

– Achille, pourquoi te mêler d'une histoire qui ne te concerne pas ? Ce n'est pas à toi de reprendre

Hélène à Pâris, mais à Ménélas son mari. D'ailleurs, Agamemnon a déjà levé son armée.

– Mère, Agamemnon veut venger l'honneur de son frère et celui des Grecs. Et pour cela, il a besoin de bras forts. Voilà pourquoi je pars le rejoindre.

– Mon fils, je t'en prie, réfléchis bien. Que préfères-tu ? Vivre une longue vie tranquille auprès de ta femme et de tes enfants, ou te couvrir de gloire et mourir jeune ? As-tu déjà oublié la prédiction du devin Calchas ?

– Non, mère, mais mon choix est fait. Je préfère la gloire des combats, au risque d'y perdre la vie. Je veux que mon nom retentisse éternellement dans la mémoire des hommes… Et je me refuse à penser que mon destin est déjà tout tracé.

– Pourtant, il l'est : tu tueras un fils d'Apollon* et pour venger sa mort, le dieu te fera périr aux portes de Troie. Calchas l'a prédit.

– Toujours lui ! Peu m'importe ce qu'il a dit, je ne veux plus entendre prononcer son nom. Je sais ce que je dois faire : prendre les armes au plus vite pour venger l'honneur des Grecs.

Achille arriva au port d'Aulis à la tête du régiment des Myrmidons et des cinquante navires confiés par son père. D'autres troupes étaient rassemblées là. Des milliers d'hommes, sur des centaines de navires. Une armée immense… Mais une armée immobilisée par l'absence de vent !

Selon Calchas, pour obtenir de la déesse Artémis* les vents favorables, il fallait sacrifier Iphigénie, la fille d'Agamemnon. Sous la pression des autres chefs, Agamemnon finit par accepter cet odieux sacrifice*. Mais pour attirer sa cadette au campement, il prétexta un mariage avec Achille… à l'insu du jeune homme.

Lorsqu'il apprit le subterfuge, Achille entra dans une immense colère contre le roi des rois. Et long-temps après le sacrifice, alors que le vent poussait la flotte grecque vers les rivages convoités, il peinait encore à contenir la rage qu'il éprouvait à la seule évo-cation d'Agamemnon.

Debout à la proue du navire, Achille n'en finit pas de dérouler ses souvenirs, l'esprit bercé par le rythme des flots. Patrocle se tait, respectant le silence de son chef et ami.

– Vivement que nous arrivions à Troie, soupire enfin Achille. J'ai hâte de mettre en pratique les leçons que j'ai reçues. Que peut-on savoir de sa vaillance et de son courage, tant qu'on n'a pas connu l'épreuve des vrais combats ?

– Moi, je ne me fais aucun souci, dit Patrocle. Je te connais depuis assez longtemps pour savoir que tu ne

Les Combats d'Achille

te déroberas jamais à ton devoir, ni même au danger. C'est presque ce qui m'inquiète, d'ailleurs. Si l'on en croit les prédictions rapportées par ta mère…

– Ma mère est angoissée, comme toutes les mères ! N'y prête pas tant attention.

Patrocle ne répond pas, mais sa figure montre bien qu'il n'est pas d'accord avec son cousin !

« Terre ! Terre ! »

Le cri tant attendu vient enfin de retentir. Les hommes sont heureux de pouvoir faire escale, après une traversée de plusieurs jours. Il ne s'agit pas encore de la côte troyenne, mais d'une grande île où ils devraient pouvoir se reposer et se ravitailler.

Une fois les longs navires tirés à terre, Achille rejoint les autres chefs, tout en évitant Agamemnon, à qui il n'a toujours pas pardonné.

– Nous sommes arrivés dans l'île de Ténédos, leur annonce le roi des rois. Elle est gouvernée par un fils d'Apollon, le roi Ténès, aussi aimable que pacifique. Nous serons reçus avec générosité et magnificence, j'en suis sûr. Venez, mes amis, ne le faisons pas attendre.

Sur le ton de la raillerie, il ajoute :

– Qu'as-tu encore, Achille, à faire cette mine maussade ? Cette hospitalité n'est sans doute pas assez bonne pour toi…

– Si, toute hospitalité offerte me va droit au cœur. Mais je ne suis pas ton ami, et je ne veux pas que tu m'appelles ainsi. D'ailleurs, je ne tiens pas à ce que tu m'adresses la parole, tout simplement.

Agamemnon pâlit sous l'insulte et s'apprête à répondre violemment, mais il est interrompu par l'arrivée du héraut[1] de Ténès, qui vient les accueillir. Peu soucieux de poursuivre cette querelle devant un étranger, il serre les poings et se tait. Achille fait de même.

Agamemnon n'a pas menti : le roi Ténès est le plus agréable des hôtes. Les tables sont couvertes de fleurs et de victuailles, le vin coule à flot et les chants et les danses émerveillent les convives.

Achille, placé loin d'Agamemnon, est heureux. C'est la première fois qu'il parvient à oublier Iphigénie et le regard qu'elle lui a lancé en montant les marches de l'autel* d'Artémis. Depuis qu'il s'est assis, son attention a été attirée par le joli visage de Maïra, la sœur du roi Ténès, et il ne la quitte plus des yeux. Cédant à son impulsion, il se lève, s'empare d'une lyre et, s'agenouillant devant la jeune fille, il joue comme il sait si bien le faire. Maïra cache son visage avec un pan de sa robe. Le roi se lève, offusqué, et prie Achille d'arrêter de jouer. Ce dernier supporte mal l'intervention de son hôte :

– Je ne pensais pas avoir mal agi. Est-ce t'offenser que

1. Messager officiel.

se montrer sensible à la beauté de ta sœur ?

– Je t'ai prié de cesser ta musique, et de détourner d'elle ton regard.

Comme Achille, stupéfait, tarde à répondre, Agamemnon intervient, trop heureux de le prendre en faute :

– Ne pourrais-tu te rendre sans hésiter à la prière d'un hôte aussi aimable ?

Cela ne fait bien sûr qu'envenimer les choses.

– De quoi te mêles-tu ? Comment oses-tu même me parler, après ce que je t'ai dit ? Je regarderai cette fille aussi longtemps que j'en aurai envie !

– Tu me manques de respect, s'écrie Ténès, très irrité par l'attitude du jeune homme. Tu vas devoir répondre de ton insolence…

À ces mots, le roi s'empare d'une épée rangée au râtelier, Achille en fait autant. Agamemnon tente de rétablir le calme, mais les deux hommes sont déjà passés à l'action. Les convives se sont retirés dans un coin de la pièce et les femmes ferment les yeux à chaque fois que sonne le fer. Après quelques minutes à peine, Achille perce d'un coup violent le flanc de son adversaire. Le roi Ténès s'écroule devant l'assistance horrifiée.

Achille, dégrisé par le combat, se rend brusquement compte qu'il vient de tuer un fils d'Apollon, comme l'avait prédit Calchas ! Inquiet, il fait organiser de magnifiques funérailles* pour sa victime. Mais il doute que cela suffise à calmer la colère du dieu…

« Le destin m'aurait-il rattrapé ? » s'interroge-t-il.

CHAPITRE 4
LES BELLES CAPTIVES

Voilà bientôt neuf ans que les bateaux grecs ont atteint les rivages de Troade[1]. Jamais les Troyens, subjugués par la beauté d'Hélène, n'ont accepté de la rendre à son époux. Et pour les Grecs, enragés par ce refus et avides des richesses de Troie, il est impensable de lever le camp et de rentrer chez eux avant d'avoir vaincu – et pillé – la ville.

Les batailles se succèdent dans la plaine de Troie et devant ses murailles. Pourtant, on ne peut toujours pas dire qui est vainqueur. Bien sûr, le nombre de soldats morts de part et d'autre augmente chaque jour.

1. *Région de Troie.*

Priam, le roi de Troie, a déjà perdu plusieurs de ses cinquante fils ; mais les murs de la ville sont toujours debout et résistent à l'assaillant. Les Grecs aussi ont pleuré bien des leurs. Pourtant leur camp est toujours installé sur la plage, près de leurs navires, et protégé par une épaisse palissade.

Entre deux périodes d'affrontement, les Grecs n'hésitent pas à attaquer et piller les populations voisines. Ils ôtent ainsi aux Troyens des alliés éventuels, et surtout, cela leur permet de se ravitailler et de s'enrichir d'un butin supplémentaire.

À chaque fois, le butin est réparti entre tous, Agamemnon recevant toujours, comme le veut la coutume, la part supplémentaire réservée au chef suprême : quelque jolie esclave ou un objet précieux. Achille est agacé par ses exigences, et ne peut s'empêcher de comparer ce qu'il accomplit personnellement sur le champ de bataille aux maigres prouesses d'Agamemnon !

En effet, comme le pressentait Patrocle, Achille est un guerrier admirable. Tous le savent invulnérable – sauf au talon, il est vrai ; mais il faudrait une précision stupéfiante pour atteindre au talon un guerrier qui ne tourne jamais le dos à son adversaire. Les Grecs l'ont surnommé « le bouclier de l'armée », tant sa présence les rassure. Puissant et intrépide, Achille effraie les Troyens et leurs alliés, au point que depuis longtemps, il lui suffit d'apparaître et de pousser son cri de guerre pour que les ennemis s'enfuient comme des lapins ! Premier dans tous les engagements, il a emporté douze villes à lui seul.

Achille marche le long du canal qui le ramène vers son campement. Soudain, des cris s'élèvent. Il reconnaît la voix d'Agamemnon mêlée à celle d'un inconnu.

– Va-t'en, vieillard ! Même si tu doublais ta rançon, ta fille resterait avec moi.

– Je vous en prie, ne refusez pas. Si vous vénérez Apollon, respectez mes cheveux blancs, moi qui suis son prêtre, et écoutez mes prières ! Je…

– Je ne veux plus t'entendre, Chrysès. Reprends ton or, ta couronne de laurier[1] et retourne d'où tu viens. Tu peux remercier Apollon, je te laisse la vie sauve ! Quant à ta fille, rassure-toi, elle est entre de bonnes mains !

Agamemnon éclate d'un rire sonore et fait mine de frapper le vieil homme.

Tout en s'écartant, le prêtre tourne silencieusement les paumes de ses mains vers le ciel, dans un geste de prière.

---

1. Cette couronne place Chrysès sous la protection d'Apollon (le laurier est la plante consacrée du dieu).

Les Combats d'Achille

– Chercherais-tu à nous menacer, avec tes singeries ? gronde Agamemnon.

Mais Achille s'interpose :

– Laisse-le tranquille, Agamemnon ! Comment oses-tu lever la main sur un vieillard ? Est-ce digne d'un guerrier tel que toi ?

– Mêle-toi de tes affaires, Achille. Cet homme m'a insulté.

– Cet homme ? Ce prêtre, veux-tu dire !

Et, s'adressant à Chrysès, Achille déclare :

– Je vais te raccompagner jusqu'à ton navire. Tu pourras ainsi regagner ton port en toute sécurité…

Achille regarde partir le bateau sur lequel a embarqué le vieil homme. À mesure que celui-ci s'éloigne, un épais brouillard descend sur la flotte d'Agamemnon. Bientôt, on n'y voit plus à deux pas.

« Un bien mauvais présage, songe Achille. La prière de Chrysès aurait-elle été entendue d'Apollon ? »

Voilà neuf jours que sur les nombreux bûchers dressés aux quatre coins du campement, brûlent des cadavres. La peste s'est abattue sur l'armée grecque. Les hommes tombent les uns après les autres sous les flèches d'Apollon. Achille avait vu juste : le présage était clair. Cependant, ne pouvant tolérer plus longtemps ce désastre, il décide d'agir. Il réunit les Grecs en assemblée :

– Amis, lequel d'entre vous saura me dire ce que signifie cette désolation ? Quelqu'un connaît-il le moyen d'éviter ces nombreuses morts et de calmer le courroux d'Apollon ?

Le devin Calchas se lève alors et dit :
– Achille ! Puisque tu me demandes de parler, je le ferai. Seulement, je ne veux offenser personne. Et surtout pas toi, ô grand Agamemnon !
– Parle ! ordonne d'une voix tonitruante le roi des rois.
– Apollon nous accable de ces maux à cause de la fille de son prêtre, que tu retiens prisonnière. Dès qu'elle sera rendue à son père, nous retrouverons nos forces et la gloire des combats.

À ces mots, Agamemnon devient rouge de colère :
– Puisqu'il en est ainsi, que le vieillard reprenne sa fille. Mais je prends Zeus à témoin ! Il me faut recevoir une compensation à la perte que vous m'infligez !
– Que te faut-il encore ? interrompt Achille. Tu es, de nous tous, celui qui a reçu la plus belle part. Renvoie cette captive et tu te rembourseras sur nos prochains butins.

Ces paroles vexent Agamemnon, qui répond méchamment :
– Achille, toi qui sais si bien raisonner, tu seras sans doute d'accord avec moi pour dire que je peux exiger

ce qu'il y a de mieux ? Ne suis-je pas le roi des rois ?

Agamemnon s'arrête un instant, regarde intensément Achille et lui assène :

– J'exige donc que me soit remis un prix d'une égale valeur. C'est pourquoi j'attends de toi que tu me donnes Briséis, cette belle jeune fille que tu gardes précieusement sous ta tente !

Achille entre aussitôt dans une grande colère. Les mots fusent de sa bouche :

– Tu n'es qu'un chien galeux, Agamemnon ! Jamais encore on ne m'a outragé de la sorte. Je ne sais pas ce qui me retient... Puisqu'il en est ainsi, je me retire du combat. Tu verras si je ne mérite pas d'être respecté !

Patrocle se précipite vers Achille pour éviter le pire. Il retient la main de son ami et l'attire doucement vers lui :

– Je suis avec toi. Tous les Myrmidons sont avec toi. Dès maintenant, nous nous retirons à notre tour. Qu'Agamemnon se débrouille sans nous...

Achille caresse les cheveux de Briséis. Il ne sait pas comment lui annoncer la nouvelle. Il préférerait déguiser la vérité pour ne pas effrayer la fragile jeune femme. Mais sa colère est trop grande, il ne parvient pas à se contenir :

– Ce fourbe d'Agamemnon veut t'arracher à moi.

Il a perdu Chryséis et pour se venger, il te réclame.

Briséis laisse échapper une exclamation d'horreur :

– Je ne peux pas. Je mourrai si je dois être loin de toi…

Achille la serre très fort entre ses bras.

– Si tu m'aimes, garde-moi ! Ne laisse pas Agamemnon m'emmener…

Les paroles de la jeune femme se cognent contre les parois de la tente. Elles sont prisonnières de ce lieu où elle a vécu heureuse en compagnie du plus beau et du plus généreux des guerriers grecs.

Elle se souvient de cette horde qui a mis sa ville à feu et à sang. Un soldat les avait découvertes, ses deux sœurs et elle, et traînées de force jusqu'à la place. Là, des femmes, des hommes, des enfants étaient enchaînés les uns aux autres. Puis un garde avait fait le tri des prisonniers. C'est ainsi que ses deux sœurs, sans doute trop petites, avaient été écartées d'elle. Briséis se sentait perdue et terrifiée, quand un magnifique jeune homme aux cheveux blonds avait traversé la place. Ses yeux erraient sur le groupe des belles prisonnières, et avaient rencontré les siens. Il s'était approché d'elle, l'avait dévisagée et avait ordonné qu'on lui ôte ses chaînes. Dès cet instant, Briséis avait su qu'elle n'avait plus rien à craindre.

Briséis pleure contre l'épaule d'Achille. Il murmure à son oreille des mots très tendres, mais rien ne parvient à calmer le désespoir de la jeune femme.

– J'ai déjà tout perdu lorsqu'on m'a arrachée à mon pays, mais si je te perds…

Elle ne peut terminer sa phrase. Des pas résonnent à l'extérieur. La voix vibrante de colère, Achille ordonne à Patrocle :

– Fais entrer les messagers du courageux Agamemnon ! Qu'ils emmènent Briséis, puisque tel est l'ordre qu'ils ont reçu.

La jeune femme s'accroche à Achille et supplie :

– Garde-moi ! C'est à toi que j'appartiens. Personne ne peut m'enlever à toi !

Achille se lève et se dégage de l'étreinte de sa bien-aimée. Il ordonne à Patrocle :

– Va, mon ami. Fais sortir Briséis et remets-la aux serviteurs d'Agamemnon.

Achille ne peut retenir ses larmes en voyant sa belle se débattre comme une lionne. Il l'entend hurler son nom dans la nuit. Même lorsque tout est redevenu calme, Achille pleure encore. Pour échapper au regard de ses compagnons, il se rend sur la plage. Là, il s'étend sur le sable encore chaud et fixe les étoiles au-dessus de sa tête. Elles sont aussi nombreuses que le vide dans son cœur est immense. Soudain, les flots s'agitent. Achille se redresse et aperçoit Thétis qui s'approche.

– Mon fils, lui dit-elle, depuis le royaume de mon père, au fond de l'océan, j'ai entendu tes pleurs. Ne me cache rien. Dis-moi comment apaiser ton chagrin... Tu sais que mes pouvoirs sont grands ici sur terre, comme sur l'Olympe des dieux.

– Mère, répond Achille, la seule chose qui pourrait me soulager serait que tu pries Zeus d'aider les Troyens, jusqu'à ce que les Grecs se sentent forcés de faire appel à moi. Je veux qu'ils viennent réclamer mon secours et me demander pardon pour le mal qu'ils m'ont fait.

– Ton vœu sera exaucé, mon fils. Les Troyens auront le dessus sur l'armée d'Agamemnon...

Et Thétis disparaît de nouveau dans les profondeurs de la mer...

CHAPITRE 5
LOIN DU COMBAT

Voilà maintenant deux jours qu'Achille n'a pas mis le nez hors de sa tente. Le fidèle Patrocle ne sait plus quoi faire pour ramener la paix dans son cœur et dans son esprit :

– Viens au moins jusqu'à la plage. Tu ne risques pas d'y rencontrer les soldats d'Agamemnon. Ils sont tous sur le champ de bataille !

– Grand bien leur fasse ! Dis-moi si les Troyens ont pris le dessus ?

– En fait, les choses ne sont pas aussi simples...

– Que veux-tu dire ? interroge Achille, de plus en plus intrigué par ce qui se passe dehors.

– Eh bien, hier, Pâris a proposé un combat singulier à Ménélas. Le prix du vainqueur devait être Hélène…

– Ménélas a accepté ?

– À ton avis ? Tu connais le courage du frère d'Agamemnon, et surtout son désir de venger son honneur. Il a donc accepté immédiatement le duel. Seulement, Pâris avait la rage de vaincre et a réussi à le désarmer.

– A-t-il été blessé ?

– Non, il est même devenu aussi féroce qu'un lion. Il a saisi à mains nues le panache du casque de Pâris et l'a traîné sur plusieurs dizaines de pas.

– Il l'a étranglé, alors…

– Non, Achille, car Aphrodite* s'en est mêlée. Elle a rompu la jugulaire du casque de Pâris. Elle protège le Troyen depuis qu'il l'a jugée la plus belle de toutes les déesses. Et tu sais comme elle aime semer le trouble autour d'elle !

– Ça, on peut dire qu'elle a réussi avec Hélène ! ironise Achille. Et Ménélas, comment a-t-il réagi ?

– Il était plus furieux que jamais. Le casque lui est resté dans les mains, alors il l'a fait tournoyer au-dessus de sa tête et l'a lancé chez les Grecs.

– Et Pâris a détalé ?

– Pas vraiment. Aphrodite est encore intervenue en sa faveur. Elle l'a enveloppé dans une nuée et l'a transporté très certainement jusqu'à sa chambre…

– … où l'attendait la belle Hélène !

Patrocle et Achille rient de bon cœur à l'évocation du beau Pâris, plus à l'aise dans le lit d'une femme que sur un champ de bataille. Mais très vite, Achille retrouve sa mine renfrognée et demande à son cousin :

– Qui a gagné alors ? Ménélas ou Pâris ?

– D'après Agamemnon, c'est Ménélas. Mais je crois que l'affaire n'est pas finie.

– Fort bien. Laissons faire les choses. J'attends une défaite plus cuisante, afin que l'on vienne réclamer mon aide à genoux…

La clameur des soldats au cœur de la bataille parvient aux oreilles d'Achille. Il parcourt sa tente de long en large et soulève de temps en temps un pan de toile pour observer la poussière qui blanchit le lointain. Il est très nerveux : voici plusieurs jours que Patrocle tente de l'inciter à prêter main-forte à Agamemnon et qu'il refuse. Même si son cousin fait de son mieux pour réveiller son ardeur guerrière :

– Athéna* est venue en aide aux nôtres, portée par sa haine farouche pour Pâris depuis qu'il lui a préféré Aphrodite. Mais rien n'y a fait, les Troyens ont résisté.

Les Combats d'Achille

Ensuite, ils ont désigné un guerrier dans chaque camp pour régler le conflit par un nouveau combat singulier. Ajax a été choisi chez les Grecs et Hector chez les Troyens. Même résultat. Aucun n'a gagné. On ne sait plus comment faire pour mettre un terme à cette guerre…

– Eh bien, qu'ils meurent tous ! réplique Achille avec hargne.

Le beau héros aux cheveux blonds regarde le ciel par l'ouverture de sa tente. La lune projette une lumière incroyablement claire. Mais en se penchant pour regarder plus loin, le jeune homme découvre avec stupeur que la ville de Troie s'est embrasée. Il imagine un succès inattendu d'Agamemnon puis, en regardant avec plus d'attention, il distingue mille feux brûlant au sommet des tours et des terrasses de la ville. Il se sent ragaillardi en pensant que les Troyens ont mis en place un stratagème. Mais, alors que son cœur bondit de joie, il se retourne et se retrouve face à Patrocle.

– Je suis heureux de savoir les Grecs aux portes de la défaite !

– Achille, au fond de toi, ressens-tu vraiment autant de haine pour tes alliés ?

– Ce n'est pas de la haine, c'est une soif de justice. Jamais je ne pourrai admettre la rapacité d'Agamemnon. Quand je pense que tous lui ont obéi…

– Cela ne veut pas dire que tous étaient d'accord !

– Peut-être, mais à part toi et mes plus fidèles compagnons, personne ne m'a suivi.

– Si je t'ai soutenu une fois de plus, c'est parce que j'espérais que tu deviendrais raisonnable. Les nôtres se meurent à quelques pas de nous. Nous entendons leurs cris, nous sentons l'odeur de leur sang. Et tu ne fais pas un geste, alors qu'il n'y a que toi pour leur apporter la victoire.

– Justement. Parce qu'il n'y a que moi, j'attends la dernière minute pour lever le petit doigt !

– Cette minute est malheureusement arrivée…

– Pourtant je ne vois rien ni personne venir…

– Tu as tort, Achille, car j'aperçois tes amis Ajax, Ulysse et Phœnix qui s'approchent de la tente.

Patrocle a dit vrai. Les trois hommes sont là en messagers. Ulysse prend la parole le premier :

– Achille, pardonne-nous tant de chagrin. Chaque jour, nous avons pensé à toi. Et aujourd'hui nous avons pour mission de venir quémander ton aide.

– L'armée des Grecs est au plus mal, insiste Phœnix. Hector a pris le commandement des Troyens. Et c'est un guerrier redoutable…

Achille les détaille tour à tour, comme s'il ne les avait jamais vus. Puis se radoucissant, il déclare :

– Je n'ai rien contre vous. Vous êtes toujours chers à

mon cœur. Aussi, dit-il en s'adressant à Patrocle, nous allons boire de ce vin délicieux que tu m'as servi hier.

Tout heureux, son cousin se précipite vers le cratère[1] empli du liquide noir et parfumé, et sert chacun des convives. Les cinq amis sont heureux d'être de nouveau réunis. Mais Achille garde en lui sa rancœur :

– Quoi que vous me proposiez, mes amis, sachez déjà que c'est non. Agamemnon peut m'offrir tout l'or du monde, je ne veux rien venant de lui. Sa faute est trop lourde à racheter.

– Pas tout l'or du monde, rétorque Ulysse, mais dix talents[2] d'or, vingt chaudrons éclatants et douze magnifiques chevaux. À cela, il ajoute de belles esclaves et surtout, il te rend Briséis sans l'avoir touchée.

Achille semble s'attarder sur cette dernière proposition. Aussi Ulysse le presse-t-il :

– Ne réfléchis pas trop longtemps. L'affaire est belle. Notre roi t'autorise même à charger tes navires de l'or de la ville de Troie lorsque tu l'auras conquise.

– Bien entendu, ajoute Ajax, tu pourras choisir toi-même parmi les plus belles femmes quand Hector sera mort et que la ville sera réduite en cendres !

Achille fixe longuement chacun de ses interlocuteurs. La colère l'envahit lentement. Agamemnon croit-il qu'il va céder aussi vite ? Achille veut plus que

---

1. *Large vase où l'on mélange vin, eau et aromates.*
2. *Unité de poids (environ 26 kg).*

quelques paroles. Il veut voir le roi des rois se jeter à ses pieds pour le supplier. Rien de moins. Aussi annonce-t-il d'une voix sourde :

– Ne gâchez plus votre salive. Et inutile aussi de revenir me trouver avec de telles offres. Ni vous, ni Agamemnon ne parviendrez à me fléchir. C'est non ! Je reste sous ma tente !

Sans insister davantage, les trois émissaires quittent les lieux. N'y tenant plus, Patrocle s'insurge contre son cousin :

– Mais qu'attends-tu, Achille ? Que je parte au combat à ta place ? Que je m'oppose à Hector en combat singulier ? Crois-tu vraiment que je pourrais en sortir vainqueur ?

Achille reste interdit devant tant d'audace. Jamais Patrocle ne lui a parlé de la sorte.

CHAPITRE 6
LA MORT D'UN AMI

D'où viens-tu et pourquoi ta tunique est-elle tachée de sang ? demande Achille à Patrocle le lendemain. Son ton est anxieux.

– Ne crains rien, le rassure Patrocle. Je ne suis pas blessé, et si j'ai du sang sur ma tunique, c'est que je viens de soigner Eurypyle. Je lui ai appliqué le baume de Chiron dont tu m'as enseigné le secret.

– Et de quoi souffrait ce brave Eurypyle exactement ? demande Achille, feignant de s'intéresser à la blessure, alors qu'il brûle de savoir où en est le combat entre les deux armées.

– Une flèche lui a traversé la cuisse. Je doute qu'il puisse retourner de sitôt au combat. Tout comme Ulysse, Agamemnon et Diomède, touchés eux aussi.

En annonçant toutes les catastrophes qui affectent l'armée grecque, Patrocle espère provoquer une réaction chez Achille. Mais ce dernier traverse la tente à pas lents, s'empare de sa lyre et pince délicatement les cordes de l'instrument. Patrocle renchérit :

– Les nôtres fuient devant Hector. Il mène ses hommes mieux que quiconque. Les Troyens seront bientôt tout près de nos vaisseaux et je crains qu'ils ne les brûlent. Faut-il que nous, Grecs, détalions comme des moins que rien ?

Achille ne cille pas. Il paraît sourd au récit de son ami et continue à tirer des sons mélodieux de sa lyre.

Soudain, Patrocle se lève d'un bond et rugit :

– Vas-tu laisser les Grecs dans une telle détresse ? Désires-tu la victoire d'Hector ? Reste sans rien dire ni faire, si tel est ton désir. Mais confie-moi tes troupes, que je vole au combat ! Et prête-moi ton armure, je t'en prie ; les dieux me protégeront.

– Je te reconnais bien là. Brave guerrier qui veux la victoire de la Grèce ! Moi, cependant, je ne peux que rester là. Je n'ai pas oublié la lâcheté d'Agamemnon qui a sali mon honneur. Mais fais comme tu l'as dit...

– Merci mille fois, Achille. S'ils me voient ainsi revêtu,

les ennemis croiront qu'il s'agit de toi et reculeront…
Pendant ce temps, les nôtres pourront reprendre leur
souffle. Et alors nous remporterons la bataille !

Achille étreint Patrocle. Puis, pendant que son cousin endosse son armure, le fils de Pélée court trouver
ses soldats. Il crie :

– Le grand jour est arrivé. Le combat contre les
Troyens reprend ! Suivez le hardi Patrocle comme
moi-même, et revenez vainqueurs.

Les hommes qui s'étaient assis pour manger se lèvent
d'un bond. Les uns ouvrent de grands yeux en voyant
Achille secouer des soldats. D'autres ont compris
immédiatement et mettent leurs cuirasses sans plus
attendre. Le camp des Myrmidons s'anime soudain.
Des hommes courent, des chevaux hennissent et surtout, le bruit des armes s'élève au-dessus du tumulte.
L'armée d'Achille est prête à combattre sous le commandement de Patrocle. Quand celui-ci fait son appa-
rition, tous les hommes se tournent vers lui. Ils lèvent
leurs bras armés et hurlent :

– Vive Patrocle ! À nous la victoire !

Achille, si avide de gloire, sent son cœur se serrer en
voyant ses hommes acclamer un autre que lui. Mais il
s'est promis de ne pas bouger avant qu'on le supplie.
Il ferme les yeux et adresse une prière à Zeus :

« Je laisse partir Patrocle et mes vaillants soldats. Je

te demande de les protéger et de guider leurs pas jusqu'à la victoire. Fais qu'ils reviennent tous sains et saufs ! »

Achille a quitté sa tente pour se poster à la proue de son navire : de là-haut, il embrasse du regard le champ de bataille et peut suivre aisément les mouvements de son armée. Dès la première heure, il a le plaisir de constater que les Myrmidons mettent les Troyens en fuite. Visiblement, le plan de Patrocle fonctionne à merveille. À la vue de son armure, les cris de peur redoublent du côté de l'ennemi ! Rassuré, Achille se retire sous sa tente en fin d'après-midi. Il ne veut pas que Patrocle le surprenne à surveiller la bonne marche des opérations…

Patrocle fait trembler ceux qu'il poursuit en poussant des cris furieux. Il ne redoute personne et se dirige vaillamment vers les portes de la ville de Troie, comme l'aurait fait Achille. Il fend la foule des soldats ennemis, insensible au sifflement des javelots et au fracas des boucliers. Rien ne le ralentit. Il n'a qu'une idée en tête : trouver Hector pour se mesurer à lui en combat singulier.

Le fils du roi Priam est retourné près des portes Scées[1], où ses soldats se sont réfugiés pour échapper aux

1. *Portes orientales de Troie.*

attaques des Grecs. Le Troyen rassemble ses troupes, mais les hommes tremblent à l'idée de repartir.

– Mais de qui, de quoi avez-vous peur ? Ne sommes-nous pas protégés des dieux ? hurle-t-il.

– Peur d'Achille ! répondent plusieurs voix. Il est là, invincible et plus furieux que jamais derrière son bouclier ! Jamais il n'est blessé par nos armes, mais les siennes tuent à coup sûr !

Hector ne sait que répondre. Il observe la campagne. Des chars se dirigent à toute vitesse vers les portes Scées. Plusieurs se fracassent dans leur course et il comprend qu'après avoir perdu beaucoup de ses hommes au combat, il risque maintenant de voir les autres mourir en fuyant. C'est son devoir de leur redonner confiance, de leur montrer l'exemple. Il se précipite donc de nouveau dans la mêlée, forçant ses soldats à faire demi-tour. Tout en reprenant la tête d'une partie de son régiment, Hector exhorte ses hommes à repousser l'ennemi :

– Guerriers, allez-vous laisser les Grecs prendre votre ville de Troie ? Pensez à nos femmes, à nos enfants qui sont à l'intérieur. Vous savez quel sort misérable les attend si l'ennemi franchit nos portes. Ne ferez-vous rien pour l'en empêcher ? Reprenez courage, amis, les dieux sont avec nous.

Des hurlements se mêlent aux hennissements des chevaux et au crissement des roues de chars. Le combat

Les Combats d'Achille

reprend. Le sang recouvre le sol et la plaine n'est bien-tôt plus qu'un immense gémissement. Les Grecs résistent furieusement à la contre-attaque des Troyens. Patrocle redouble de ruse et d'efforts. Il se bat comme un lion et envoie à terre plus d'un homme à la fois. Mais un jeune Troyen réussit à le prendre à revers et lui enfonce sa lance au milieu du dos. Malgré son armure, Patrocle s'écroule et tombe à genoux, pendant que son agresseur est pris en chasse par l'un de ses soldats. Il parvient tant bien que mal à se relever et essaie de rejoindre son cam-pement. Il a de la difficulté à marcher. La lance lui a transpercé le dos et le ventre. Il saigne abondamment. Mais la souffrance n'est rien comparée à son envie de gagner le combat. Il sait qu'il va trouver la force de rejoindre Achille. Il sait que son ami va venir à son secours. Il sait qu'il va rassembler de nouveaux hommes pour revenir à la charge et réduire à néant cette maudite ville. Il sait que…

Soudain, Hector est là, devant lui. Il tient son jave-lot à la main. Surprise ou douleur ? Patrocle ne sait pas laquelle est la plus insupportable. Il se redresse autant qu'il peut pour faire face à son terrible ennemi. Mais déjà l'autre lève la main pour le frapper. Patrocle n'a pas le temps d'esquiver le coup. Hector l'atteint dans le bas du ventre et le transperce une seconde fois. Le corps de Patrocle roule sur le sol encombré de chair et de sang. Hector le regarde alors de toute sa hauteur et s'approche pour lui ôter son casque.

– Incroyable ! s'écrie-t-il, ce n'est pas Achille mais Patrocle !

Il a à peine le temps de lui ôter son armure et de la jeter dans son char, quand il aperçoit Ménélas qui vient tenter de sauver la dépouille de Patrocle. Mais il n'est pas question de laisser les Grecs récupérer le corps ! Aussi donne-t-il des ordres pour que les Troyens s'assurent définitivement de sa possession.

– Euphorbe ! Prends mon char et emmène Patrocle vers les portes Scées. Vite, avant que les Grecs ne nous l'arrachent ! Une fois là-bas, abandonne-le aux gardes. Nous le livrerons aux chiens pour venger la mort des nôtres. Ensuite, reviens vite. Nous aurons besoin de bras courageux…

Le jeune homme n'est autre que celui qui a enfoncé son arme dans le dos de Patrocle. Il est fier d'avoir terrassé l'un des plus fameux guerriers grecs. Même si ce n'est pas Achille… Mais il n'a pas le temps de soulever le corps de Patrocle que des ennemis l'entourent…

CHAPITRE 7
UN TERRIBLE CARNAGE

A chille est inquiet. La journée avance et Patrocle n'est toujours pas revenu. Pris de doute, il grimpe de nouveau à l'avant de son navire pour observer la bataille. La poussière est plus épaisse que jamais. Des chars et des hommes à pied se disputent le terrain. La plaine est noire de sang. Mais le plus effrayant pour le chef des Myrmidons, c'est de constater que son armée cède du terrain aux Troyens.

– Pourquoi reculent-ils ? Que fait donc Patrocle ?

Antiloque, le fils de Nestor, arrive à cet instant. Il apporte à Achille la réponse à ses questions :

– Je suis le messager d'une bien horrible nouvelle !

– Parle ! Il est arrivé malheur à Patrocle ?

– Tu as deviné. Son corps est aux mains des Troyens, mais les nôtres font leur possible pour le reprendre. Par contre, pour les armes que tu lui avais prêtées, il est trop tard : Hector les a revêtues.

Achille pousse un cri inhumain et tire son épée de son fourreau. Antiloque cherche à l'arrêter, mais il se débat comme un beau diable et vocifère :

– Lâche-moi, lâche-moi ! Je vais leur arracher le cœur ! Je vais les couper en morceaux !

Les paroles d'Antiloque finissent par avoir raison de cet accès de fureur :

– Mieux vaut que tu viennes nous aider à récupérer le corps de Patrocle et tes armes. Nous avons besoin de toi.

– Fallait-il une perte aussi lourde pour que j'oublie ma rancœur ? gémit Achille.

Sa douleur est si grande, ses sanglots si forts que sa mère l'entend au plus profond de son royaume. Elle surgit des flots et s'adresse à son fils en pleurs :

– Je ne t'ai jamais vu empli d'un tel chagrin. Quelle est la cause de ce désespoir ?

– Patrocle ! Patrocle est mort par ma faute. Je l'ai laissé partir au combat à ma place.

– Tu as eu raison. Il était trop tôt pour venir au secours d'Agamemnon.

– Oui, mais aujourd'hui mon meilleur ami est mort. Seule la mort d'Hector pourra le venger…

– La douleur t'égare ! Si tu tues Hector, tu mourras peu après : le devin l'a prédit.

– Tout m'est égal, maintenant que Patrocle a disparu. Je tuerai son meurtrier.

– Comment feras-tu pour combattre sans tes armes ? Attends au moins demain matin, je t'en apporterai de nouvelles. Je vais demander au divin Héphaïstos* de t'en forger.

L'aurore filtre au travers de la toile. Le corps de Patrocle, ramené par Ménélas, repose depuis quelques heures sous la tente et il est temps de le laver et de l'habiller. Achille se penche au-dessus de son ami. Ses larmes baignent le visage et le corps meurtris et bleuis par les coups. Ces blessures sont insupportables pour Achille. Sa vengeance sera terrible.

Le roi des Myrmidons appelle ses servantes :

– Faites chauffer de l'eau, préparez les onguents pour soigner son corps et trouvez-moi le plus blanc, le plus riche de tous les linceuls.

Les servantes exécutent rapidement les ordres. Leur maître les observe qui s'affairent autour de Patrocle. À la vue du sang noir qui s'échappe des linges de toilette, Achille ne peut réprimer un mouvement de colère. Il se fait le serment d'empêcher Hector de connaître à son tour une mort belle et tranquille. C'est pour lui la seule façon de prouver une dernière fois son amitié à Patrocle.

Il ne tient plus en place. Les heures s'étirent comme dans un cauchemar. Il voudrait déjà se trouver dans la bagarre et faire un carnage parmi les Troyens. Maintenant que le jour se lève, il attend avec impatience la venue de sa mère. Enfin, Thétis sort de l'océan et dépose devant lui un magnifique bouclier cerclé d'or, une cuirasse et un casque étincelants :

– Mon fils, voici des armes dignes de toi. Aucun mortel n'a jamais reçu un tel présent.

– Mère, je vous remercie ; protégez-moi encore, répond Achille en étreignant sa mère.

Thétis n'a pas le temps de le mettre en garde une dernière fois, que déjà il revêt son armure et part en toute hâte pour rassembler l'armée des Grecs. Les hommes ne paraissent pas surpris de tant de fougue. Ils l'écoutent :

– Amis, le temps de mon ressentiment envers le plus grand de nos chefs est terminé. Je décide de reprendre le combat à la tête de mes courageux Myrmidons. Ensemble, nous devons venger Patrocle.

– Hourra ! Hourra ! entonnent en chœur tous les soldats.

Agamemnon s'approche alors et déclare :

– Quel bonheur de te voir revenu à de meilleurs sentiments ! En guise de remerciements, reçois les présents qu'Ulysse était venu te proposer quand…

– Nous aurons bien le temps de régler nos affaires, coupe Achille. Pour l'instant, il nous faut avant tout anéantir nos ennemis.

Et, tout harnaché de ses nouvelles armes, il arpente les rangs de son armée. Il tient à insuffler sa détermination et son courage dans le cœur de chacun :

– Je suis là, parmi vous. Et comme vous, j'éprouve le besoin d'entrer dans la mêlée. Nous sommes plus nombreux et plus forts, mais sachons aussi nous montrer plus habiles. Je compte sur vous tous…

Une immense clameur s'élève alors au-dessus du camp des Grecs. Les hommes n'ont jamais eu une telle soif de combattre. Ils n'ont qu'une idée en tête : que la guerre finisse dans cette ultime bataille. Une fois la ville de Troie prise, ils pourront repartir sur les mers et regagner leur patrie. Cela fait tellement longtemps qu'ils l'espèrent, qu'ils n'y croient plus vraiment. Aujourd'hui pourtant, tout paraît possible puisque Achille est à nouveau avec eux !

Le char du roi des Myrmidons double tous les autres. Il est tellement rapide qu'il semble voler. Les soldats porte-lance se jettent sur le côté en le voyant arriver.

Certains croient même avoir aperçu Zeus ! Mais Achille ne cherche pas à ralentir, il est pressé d'arriver à la hauteur des portes Scées et d'y trouver Hector. Il sait qu'en bon guerrier, le fils du roi Priam doit rassembler ses troupes afin d'avancer en rangs serrés vers l'ennemi. Il veut le transpercer de sa lance, celle-là même que lui offrit Chiron. Avec elle, il a gagné de nombreuses batailles et il compte bien qu'elle lui donnera encore la victoire et la vengeance d'un seul coup...

Ses chevaux écument et l'air lui brûle la poitrine. Il n'a qu'une envie : massacrer le plus grand nombre possible des fils de Priam. Surtout, Hector... Il rêve de voir les chiens se repaître de ses chairs !

À quelques pas des portes de Troie, Achille aperçoit Polydore, le fils préféré du roi Priam. Son visage est barré par un féroce rictus. Il précipite son char contre celui du jeune prince. Ce dernier n'en revient pas. Il n'a jamais vu pareille figure ! Pétrifié, il ne réagit pas et succombe aussitôt sous le coup porté par la lance de frêne du Centaure. Achille hurle en le voyant s'abattre :

– Meurs, fils de Priam !

Le jeune homme tombé du char a roulé dans la poussière. À cet instant précis, son frère Hector l'aperçoit. Il se précipite pour lui venir en aide. C'est alors qu'Achille le reconnaît :

– Te voilà, chien ! Viens te mesurer à moi. Je n'ai plus rien à perdre puisque tu m'as tout pris. Tu n'as pas tardé à te couvrir de mon armure ! Qu'espères-tu ? Qu'elle te rendra invincible comme moi ?

Hector ne répond pas. Il appelle à la rescousse deux de ses hommes, il veut sauver son frère, s'il est encore vivant. Une fois le garçon à l'abri sur un char, il se retourne vers Achille et lui crie :

– Je t'attends !

Mais alors qu'Achille fond sur lui, Apollon enlève Hector dans un nuage. Achille s'arrête net dans son élan et rugit :

– Tu n'échapperas pas longtemps à ma main, lâche ! Ma colère est si profonde qu'aucun de vous n'en réchappera, dussé-je y briser ma lance !

Il fouette violemment ses chevaux et son char renverse tous ceux qui se trouvent sur son passage. Les hommes qu'il ne parvient pas à écraser avec son char, il les traverse de son épée ou de sa lance. Tout éclaboussé du sang de ses ennemis, il poursuit son carnage. Rien ne peut l'arrêter. Il est ivre de colère : la ruse d'Apollon lui a ôté le plaisir de tuer celui qui est désormais son pire ennemi.

Les Troyens détalent devant cette bête enragée. Dans la panique, une partie des hommes se dirige vers le Scamandre[1] mais, pris en tenaille entre l'armée des

_____

1. *Fleuve de Troade.*

Grecs et Achille, ils n'ont d'autre issue que se précipiter dans les eaux du fleuve. Hommes et chevaux poussent un même cri en s'abîmant dans les profondeurs. Le Scamandre n'en peut plus de rouler ces corps sans vie, et de voir ses eaux rougies et souillées par le sang. Il écume, sort de son lit, prêt à engloutir Achille. Il faut l'intervention d'Héphaïstos et de son feu, qui menace de porter ses eaux à ébullition, pour le faire rentrer entre ses berges.

Quant à Achille, il est déjà aux trousses des Troyens qui ont choisi de se réfugier dans la ville. Ces derniers doivent faire vite, car lui est bien décidé à ne laisser aucun survivant.

Seulement Apollon, protecteur de Troie, est encore là. Par une habile manœuvre, il détourne un instant Achille de sa course en prenant les traits du jeune Agénor, un autre fils de Priam. Il feint de lancer son javelot sur le Grec. Immédiatement celui-ci entre dans une rage folle. Comment imaginer qu'un si jeune homme ose l'affronter directement ? Pour punir le faux Agénor de sa témérité, il délaisse un instant l'armée troyenne, qui en profite pour se réfugier derrière les portes de la ville…

Priam est soulagé qu'une partie au moins de ses troupes ait pu regagner l'enceinte de Troie. Mais il aperçoit bientôt son fils Hector, resté hors des murs.

Il l'exhorte à le rejoindre :

– Je t'en supplie, ne réponds pas à la fureur du fils de Pélée. Tu nous seras d'un plus grand secours à l'intérieur des murs. La ville a besoin de toi…

Mais rien n'y fait. Hector est déterminé à affronter en combat singulier le glorieux Achille.

CHAPITRE 8
VENGEANCE

À cette heure, la plaine brûle sous les rayons ardents du soleil à son zénith. Tout paraît calme. Les Grecs sont revenus près de leurs vaisseaux. Ils pansent leurs blessés et préparent les funérailles de leurs morts. Impossible de se dérober à ce devoir : laisser un corps à l'abandon, c'est condamner le mort à errer sans fin au bord de l'Achéron[1] et l'empêcher de trouver le repos ! Quant aux Troyens, cachés derrière les portes closes de la ville, ils s'occupent de leurs morts, eux aussi.

1. *Fleuve des Enfers qui forme la frontière entre le royaume des morts et celui des vivants.*

Aucun bruit, aucune odeur ne s'échappe des murs d'enceinte. Pas même un oiseau ni une mouche. Tout paraît pétrifié…

Mais soudain, dans la plaine, un char apparaît, qui avance à vive allure. Le guerrier qui le dirige est tout illuminé de la lumière de midi. Ses armes brillent au soleil et lancent des éclairs. L'équipage, auréolé d'une poussière dorée, atteint bientôt les portes Scées, devant lesquelles attend Hector. Ce dernier se lève d'un bond, saute sur son char et fouette ses chevaux. Le fouet claque dans le silence. Aussitôt le roi Priam, monté sur la muraille, supplie son fils :

– Je t'en conjure, Hector, n'affronte pas Achille ! crie-t-il avec le peu de souffle que lui laisse son grand âge.

Mais sa prière est vaine. Le char d'Hector s'est élancé avec fracas et le guerrier n'a prêté aucune attention aux paroles du vieillard. Déjà, les deux combattants se font face. Tout à coup, Hector, pris de frayeur à la vue de ce monstre de métal écumant, fait demi-tour. Pour la première fois de sa vie, la peur le fait fuir ! C'est que la rage et la violence de son adversaire dépassent tant la mesure humaine qu'il n'entrevoit son salut que dans la fuite.

À la vue de cette lâcheté, Achille redouble de colère. Il fouette encore plus fort ses chevaux et lance son char à la poursuite d'Hector. Celui-ci n'a que quelques coudées d'avance. Il longe les murailles de Troie à toute allure. Un tour, puis un second, et encore un troisième. Le Grec est toujours à ses trousses. Harassé de fatigue, asphyxié par la poussière, Hector s'arrête et saute de son char. À cet instant, Achille brandit son javelot et le lance. Le Troyen l'évite en se jetant sur le côté. Mais déjà Achille a extrait son glaive de son fourreau. À son tour, Hector tire son arme et se rue sur son adversaire. La lame se brise sur le bouclier d'Achille, qui cherche à pourfendre son rival. Il tourne autour d'Hector à la manière d'une bête affamée, pareil aux lions du mont Pélion qu'il combattait dans sa jeunesse. Il avance un bras toutes griffes dehors, pour faire reculer son ennemi. Puis il bondit sur le côté et tente de le percer de son épée. Mais l'autre recule d'un pas et, d'un geste rapide, cherche à atteindre le flanc d'Achille de son javelot.

Ce jeu macabre pourrait durer longtemps si Achille, abandonnant son épée, ne plantait enfin sa lance dans le cou d'Hector. La pointe acérée traverse la chair pour ressortir ensanglantée de l'autre côté. Le Grec la retire et regarde le meurtrier de son ami tomber à genoux. Ce dernier porte la main à sa blessure, lève les yeux vers son agresseur avant de s'affaisser de tout son poids dans la poussière. Achille s'empresse de le défaire de ce qui fut sa propre armure. Il jette chaque pièce à bord de son char. Une fois Hector

Les Combats d'Achille

dénudé, il le saisit par les pieds et lui perce les chevilles pour y faire passer une lanière. Puis il traîne le corps à l'arrière du char et l'y attache fermement. Il lance alors ses chevaux à vive allure et se retourne de temps en temps pour s'assurer que le corps d'Hector heurte chaque caillou sans se détacher. Il sourit férocement en voyant sa tête brimbaler de gauche et de droite, méconnaissable. Il n'a qu'une idée : jeter les restes d'Hector aux pieds de son ami défunt. Il lui faut absolument rejoindre son campement.

Le vieux Priam n'en croit pas ses yeux. Ce qu'il redoutait tant vient d'arriver. Son fils est la proie du terrible Achille. À ses côtés, Hécube, son épouse, pousse un hurlement de douleur en voyant succomber son enfant. Les remparts retentissent des lamentations de tous ceux qui ont assisté au combat. La nouvelle se répand à travers la ville entière, chacun cesse son activité et se met à gémir et à crier. Tout le monde sait maintenant qu'Hector est mort et que son féroce ennemi outrage impunément son cadavre.

Comment accepter une fin aussi lamentable ? Il faut à tout prix ramener le corps du héros dans l'enceinte de la ville ! De jeunes guerriers proposent à Priam de reprendre sur l'heure les armes et de donner une leçon à ces « chiens de Grecs ». Mais le roi est dans le plus grand désarroi, incapable de penser ou de réfléchir. Son esprit est submergé par le malheur d'avoir perdu le plus brave de ses fils !

Son épouse effondrée a pourtant la présence d'esprit de demander :

– Et Andromaque ? L'a-t-on avertie ?

Personne ne peut lui répondre. L'épouse d'Hector est à l'autre bout du palais. Elle s'est retirée au gynécée en attendant que son compagnon revienne de la bataille. Jamais elle n'a voulu assister au sinistre spectacle du choc des armes. Elle préfère laisser filer le temps et sa quenouille…

Les pleurs se font de plus en plus sonores. Andromaque lève la tête de son ouvrage. Elle tend l'oreille. Elle distingue maintenant clairement le nom de son époux. « Hector ! Hector ! » Une certitude s'empare d'elle au moment-même où elle laisse tomber sa navette. Elle quitte prestement sa chambre et court rejoindre ses beaux-parents. Elle les trouve terrifiés, bouche bée, regardant la plaine où tourbillonne une nuée de poussière. Où roule un char. Le char d'Achille. L'engin tire derrière lui une masse informe, un corps qui rebondit à chaque obstacle. Andromaque comprend que ce corps rougi de sang n'est autre que… celui de son Hector tant aimé ! Elle porte la main à sa bouche et un cri inhumain s'en

Les Combats d'Achille

échappe. Elle s'évanouit alors, emportant avec elle l'horrible vision d'un homme désarticulé, traîné par un animal sauvage…

CHAPITRE 9
APAISEMENTS

« **A**chille ! Achille ! Ne m'abandonne pas. Aide-moi à entrer dans le royaume des morts… » Achille se redresse sur sa couche. À n'en pas douter, c'était la voix de son ami Patrocle. Il est venu lui parler pendant son sommeil. Comme tous les morts, il a hâte de franchir l'Achéron pour trouver le repos chez Hadès.

– Crois-tu vraiment que je pourrais t'avoir oublié ? murmure doucement Achille, avec une nuance de reproche dans la voix. Depuis hier, nos Myrmidons parcourent les forêts du mont Ida[1] à la recherche des plus beaux chênes. Le bûcher que j'ai fait élever pour

1. *Montagne de Troade.*

purifier ton corps est à la mesure de notre amitié.

Achille se lève et se penche au-dessus de son bouclier. L'arme rutilante lui renvoie une image fatiguée, vacillante. Depuis la mort de son ami, il n'a pris ni repas, ni bain. Il ne sortira de son deuil qu'après les funérailles ! S'adressant à son reflet, il dit :

– Allons-y maintenant. Patrocle n'attend plus que toi…

Dehors, des centaines de Myrmidons patientent pour porter le corps du défunt sur le bûcher. D'un signe, Achille leur indique que le moment est venu. La troupe se met en marche : les fantassins devant, suivis par les chars. Leur chef les précède. Aidé de quatre hommes qui portent le corps, Achille soutient la tête de celui qui fut son plus cher ami et son plus fidèle compagnon. Les larmes ruissellent sur son visage. Son armure paraît elle aussi en deuil : elle ne luit plus autant sous les rayons du soleil matinal.

Aussitôt le corps de Patrocle étendu au plus haut du bûcher, Achille coupe soigneusement ses mèches blondes, une à une, et les dépose en dernière offrande dans les mains de son ami. Les autres soldats l'imitent et bientôt, Patrocle est recouvert de la chevelure de toute une armée. Autour du corps, Achille fait disposer les présents qu'il offre au mort : amphores d'huile et de miel ; bœufs et moutons, sacrifiés en son honneur, ainsi que ses chiens favoris ; douze jeunes prisonniers troyens enfin, qu'il n'hésite pas à tuer sur le bûcher. Alors seulement, il met le feu au bois entassé.

Le vent vient de se lever, faisant rugir le foyer. Le roi des Myrmidons fixe le brasier qui consume les restes de son cousin. Plus tard, quand le feu commence à s'étouffer, il se retourne vers ses soldats :

– Éteignons les flammes avec le vin, et recueillons les ossements de Patrocle dans l'urne d'or que voici. Après, seulement, nous pourrons commencer de grands jeux[1] en son honneur.

Tous les hommes lèvent leurs armes d'un même mouvement en signe d'approbation. Achille a prévu de beaux prix – armes, argent, esclaves – pour récompenser les vainqueurs, et les meilleurs guerriers s'affrontent sous les yeux de l'armée, pour le plus grand plaisir des spectateurs.

Mais tous savent que cette bataille gagnée par Achille ne marque pas pour autant la fin de la guerre. Troie reste encore à prendre. La belle Hélène est toujours aux mains de Pâris...

Depuis douze jours, Achille passe sans arrêt devant la dépouille d'Hector. Il a livré le fils de Priam aux chiens et aux oiseaux, mais aucun animal n'ose y toucher.

Aphrodite a pris soin d'enduire le corps d'une huile

---

1. *Concours gymniques à caractère religieux, comme à Olympie, par exemple...*
Les funérailles sont une cérémonie religieuse.

Les Combats d'Achille

magique qui le rend insensible au pourrissement, et Apollon étend au-dessus de lui un nuage pour le protéger des ardeurs du soleil. Ainsi Hector est-il resté aussi beau qu'au premier jour, le traitement infligé par Achille n'a laissé aucune trace. Celui-ci s'en exaspère, mais que faire contre la volonté des dieux ?

D'ailleurs, ceux-ci ont décidé qu'il était temps de rendre le fils de Priam aux siens. Zeus charge Thétis de prévenir son fils, tandis qu'il envoie sa messagère Iris auprès du vieux roi, pour le convaincre d'aller racheter le corps d'Hector. Cette dernière arrive dans une famille plongée dans le deuil, les yeux rougis et les joues griffées. Iris s'adresse à Priam :

– Ordonne à tes fils de préparer un chariot et de le charger de présents rares. Offre à Achille les plus belles étoffes, les plus beaux tapis et les pierres les plus précieuses en échange du cadavre d'Hector…

Hécube s'avance vers son époux. Elle est prise de tremblements. Elle redoute pour lui le sort de leur fils. Elle le met en garde :

– Crois-tu qu'Achille t'épargnera ? La haine est dans son cœur et…

Priam ne la laisse pas terminer :

– Zeus lui-même me protégera. Ne t'inquiète pas. Je reviendrai avec le corps de notre enfant…

Hécube tend une coupe pleine de vin à son époux

et lui propose d'en faire libation* à Zeus, son protecteur. Priam accepte, verse à terre quelques gouttes en l'honneur du dieu, puis boit le contenu de la coupe. À cet instant précis, un aigle aux ailes largement déployées passe au-dessus de la ville… Cet excellent présage rend un peu d'espoir aux Troyens.

Il fait encore nuit quand les portes Scées s'ouvrent devant Priam. Les gardes observent leur vieux roi qui s'éloigne vers la mer, vers le camp grec. Ils invoquent pour lui la protection de tous les dieux. Mais le grand aigle a apaisé leurs craintes…

Avec l'aide du dieu Hermès*, qui l'a guidé jusqu'au campement et a endormi les sentinelles, Priam parvient sans encombre à la tente d'Achille. Le roi se jette aux pieds de celui qui lui a pris son fils et l'implore :

– Achille, je n'avais plus que lui pour veiller sur ma vieillesse. Je suis bien seul.

Le roi des Myrmidons contemple la tête aux cheveux blancs baissée devant lui. Ses pensées s'envolent immédiatement vers son propre père. Ce cher homme qu'il n'a pas vu depuis des années, et qu'il ne reverra sûrement pas avant de mourir. Il ne peut s'empêcher de pleurer. Priam mêle ses larmes aux siennes et le supplie :

– Accepte la rançon que je t'ai apportée en échange de mon fils chéri…

À ces mots, Achille ne peut retenir un sanglot et répond :

– Les douze nuits qui se sont écoulées depuis la mort d'Hector m'ont porté conseil. Je sais que je dois te rendre son corps. Rentre tranquille. Tu pourras offrir à ce fils bien-aimé de belles funérailles…

Achille sort de sa tente et se dirige vers la dépouille de son ennemi éclairée par la lune. Il la soulève et l'emporte lui-même vers le chariot de Priam, déjà débarrassé des trésors apportés en rançon. Une fois le corps installé, Priam s'apprête à partir. Mais Achille le retient :

– Repose-toi ici. Tu as vécu une bien dure épreuve. Tu repartiras à l'aube après t'être restauré et avoir dormi…

Priam accepte la coupe que lui tend le roi des Myrmidons. Tous deux boivent en se regardant à la dérobée. L'un jeune, l'autre vieux ; l'un beau, l'autre vénérable ; tous deux affligés d'une même douleur, la perte d'un être aimé.

Enfin, Achille demande :

– Dis-moi, de combien de jours auras-tu besoin pour enterrer honorablement ton fils ?

– Il faudra neuf jours pour rassembler le bois néces-saire et sécher nos dernières larmes, répond le vieux roi.

– Je te les accorde ! Durant cette période, suspendons

la guerre. Tu peux dormir en paix maintenant…

Épuisé par la fatigue et le chagrin, Priam s'endort comme un enfant. Pourtant, Hermès vient le réveiller dans la nuit et le somme de partir avant le jour, pour le cas où les Grecs changeraient d'avis. Les hommes d'Achille dorment profondément et n'entendent pas le chariot qui fuit leur campement.

Le vieillard arrive en vue des murailles de la ville au lever du jour. C'est sa fille Cassandre, la prophétesse, qui, la première, avertit la cité de son retour. Elle, qui avait pressenti le malheur en voyant arriver son frère Pâris et la belle Hélène quelques années plus tôt, sait que la ville va retrouver sa dignité : le corps d'Hector lui est enfin rendu ! Mais Troie est désormais orpheline, son principal défenseur est mort…

CHAPITRE 10
UN HÉROS DISPARAÎT

Depuis les funérailles d'Hector, le combat a repris et la plaine s'est recouverte d'un manteau rougeâtre dans lequel piétinent hommes et chevaux. On pourrait croire que rien n'a changé. Et pourtant…

Achille n'est plus le même. La mort de Patrocle l'a atteint au plus profond de son âme. Même l'amitié nouvelle du jeune Antiloque, fils de Nestor, même les caresses de Briséis ne réussissent pas à lui rendre la joie, l'ivresse des premières années de la guerre.

Certes, il est toujours aussi valeureux et n'a rien perdu de ses qualités. Il se bat encore avec la rage d'un lion qui ne craint rien ni personne. Il s'élance au milieu du combat et abat d'un seul coup d'épée plus de dix Troyens à la fois. On dirait que non seulement la mort ne lui fait pas peur, mais qu'il la défie, peut-être même qu'il la recherche.

Les Troyens, épouvantés, commencent à perdre courage. Leurs défenseurs meurent les uns après les autres. Ils sont contraints de faire appel à des alliés de plus en plus éloignés.

C'est d'abord, un matin, le galop de centaines de chevaux qui résonne dans la plaine. Les sentinelles grecques, toujours aux aguets, annoncent l'arrivée des Amazones[1], venues au secours du roi Priam. Sans attendre, armées de leur arc qu'elles manient avec une habileté meurtrière, les redoutables guerrières se jettent dans la bataille, menées par leur reine Penthésilée.

Ces femmes, venues des confins de la terre, ont une volonté de vaincre qui n'a d'égale que celle d'Achille. Celui-ci doit employer la force et la ruse pour venir à bout de la horde de cavalières. Et, malgré sa réticence à tuer une femme, le roi des Myrmidons finit par planter sa lance au-dessus du sein droit de Penthésilée. Ce sein que, comme toutes les Amazones, elle avait comprimé depuis son plus jeune

---

1. *Peuple de femmes guerrières. On situe leur royaume entre Europe orientale et Asie centrale.*

âge, afin de pouvoir tirer à l'arc plus commodément.

Achille a beau se persuader qu'il n'a pas tué une simple femme, mais un ennemi dangereux, il ne peut s'empêcher de regretter son geste. Il se penche au-dessus de la belle, lui ôte son casque et contemple son visage de déesse. Devant tant de grâce, il décide de la rendre au roi Priam pour qu'il lui offre des funérailles dignes de sa beauté et de son courage.

C'est ensuite aux Éthiopiens[1] que les Grecs doivent faire face. Eux aussi sont arrivés en grand nombre, avec à leur tête le vaillant Memnon, fils de la divine Aurore et neveu de Priam. Ces hommes noirs comme l'ébène se mêlent aux Troyens et avancent telle une nuée dévastatrice.

Achille se bat avec sa fougue habituelle, jusqu'à ce qu'un incident funeste vienne réveiller des souvenirs qu'il croyait enfouis, et la violence qu'il pensait domptée.

Non loin de lui, sur le champ de bataille, Memnon vient de s'en prendre au vieux Nestor. Celui-ci, plus sage au conseil qu'ardent au combat, court un grave danger. Mais son fils Antiloque vole déjà à son secours. Achille, d'abord rassuré, voit avec horreur la lance destinée à Nestor pénétrer la cuirasse d'Antiloque, exactement au niveau du cœur. À la vue de son ami abattu,

---

1. *Peuple à la peau noire (« visages brûlés » en grec), qui habite la vallée du haut Nil (sud de l'Égypte).*

Les Combats d'Achille

Achille sent la douleur et la rage l'envahir une nouvelle fois :

– Verrai-je donc tous mes amis tomber au combat les uns après les autres ? Et moi, dont la mort a pourtant été annoncée, je suis toujours en vie ? Je te tuerai, Memnon, pour ce que tu viens de faire. Ce n'est plus la gloire qui m'importe, c'est à nouveau la vengeance !

Un duel s'engage alors, violent et sans pitié, entre les deux héros, tous deux fils de déesse. Mais l'heure d'Achille n'est pas encore venue, et c'est à Memnon de succomber dans ce combat à mort.

Ni les Troyens, ni les cavalières venues de l'est, ni les « visages brûlés » venus du sud n'ont pu venir à bout d'Achille. Serait-il vraiment invincible ?

On le dirait. Depuis la mort d'Antiloque, la rage ne le quitte plus. Il n'accepte aucune opposition, aucun obstacle. Il ne vit que pour la guerre et ses massacres.

Mais les murs de Troie lui opposent toujours leur solidité, et Achille ne peut supporter davantage que ces remparts lui résistent. Il a décidé de les forcer coûte que coûte aujourd'hui. Les Troyens cèdent du terrain, reculent devant lui. La muraille n'a plus aucun défenseur !

Mais Apollon est là, qui protège toujours les Troyens. Il ne veut pas voir Achille entrer dans la ville.

D'ailleurs, si l'on en croit les prédictions de Calchas, tel n'est pas son destin.

Apercevant Pâris à moitié dissimulé dans un angle du mur, le dieu lui insuffle un courage nouveau. Le prince saisit son arc, vise lentement. Le dieu affermit l'arme dans sa main, c'est lui qui dirige la flèche !

Achille ne peut retenir un cri en sentant une douleur intolérable lui brûler le talon. Pâris vient de le toucher au seul point sensible de son corps.

Ses jambes tremblent. Son corps ne lui appartient plus. Achille retire la flèche meurtrière. Sa plaie saigne abondamment. À cette vue, le héros entre dans une terrible fureur. Mais Pâris a déjà décampé. Aussi Achille se retourne-t-il contre les soldats ennemis qui, le voyant faiblir, commencent à le cerner. Il en décapite plusieurs avec son glaive et en perce d'autres avec sa lance de frêne. Pourtant, au bout de quelque temps, il tombe à genoux. Dans un ultime effort, il lève les yeux vers le ciel. Mais les dieux restent silencieux. La mort d'Achille a été fixée par le destin. Malgré les prières de Thétis, Zeus ne peut plus rien pour lui…

Ulysse et Ajax, rapidement rejoints par Ménélas et Agamemnon, se sont battus comme des lions pour garder la dépouille d'Achille et la ramener au camp grec. Le corps du héros, qu'Athéna a frotté d'ambroisie[1] pour le garder intact, est exposé sur sa couche. Toute l'armée

1. *Liqueur d'immortalité, réservée aux dieux.*

Les Combats d'Achille

grecque défile en pleurant pour rendre un dernier hommage à son « bouclier », tandis que Briséis et les servantes se lamentent à grand bruit. La mer aussi est agitée : près du rivage, Thétis et ses quarante-neuf sœurs mènent le deuil. Les funérailles durent ainsi dix-sept jours, jusqu'à ce que soit dressé et allumé le bûcher.

Le vent se met alors à souffler et une épaisse fumée s'élève dans le bleu du ciel. Quand le corps est consumé et le feu éteint, les ossements du héros sont recueillis et enfermés dans une urne en or. Un immense tombeau est élevé au bord de la mer, pour signaler à tous les hommes à venir que là repose le plus vaillant des héros.

ÉPILOGUE

Aujourd'hui, le tombeau d'Achille n'est plus qu'un monument vide : Thétis a enlevé l'urne contenant les restes de son fils pour la déposer sur l'île Blanche. Depuis ce jour, cette île lointaine est caressée par une brise tiède. Un temple* magnifique, érigé à la mémoire d'Achille, se dresse dans ce lieu isolé du reste du monde, parcouru seulement par quelques chèvres.

Et lorsque des marins s'aventurent dans le secteur, ils peuvent apercevoir les oiseaux de mer à qui la déesse a confié la garde du sanctuaire*. Chaque matin, ils volent vers le large puis reviennent mouiller de leurs ailes le temple où repose le glorieux Achille. On peut suivre des yeux leur vol empreint de tristesse et de beauté…

Asopos

Salamis
+
Poséidon

Egine
+
Actor

+
Zeus

Menoetios

Patrocle

Endéis

+

Eaque

Péléé

+

généalogie d'Achille

tos
e
t
rin) + Gaïa
(la
terre) + Ouranos
(le
ciel)

Océan + Téthys

rée + Doris

hétis 49 autres
Néréides autres
Océanides

lle + Déidamie

Pyrrhos (ou Néoptolème)

Les Combats d'Achille

- Le monde d'Achille -

L'ORIGINE D'ACHILLE

Le personnage d'Achille a une **origine légendaire** (essentiellement liée à la guerre de Troie, elle-même en grande partie légendaire), et non pas historique (c'est-à-dire fondée sur des faits réels).

Toutefois, pour les Grecs eux-mêmes, Achille, comme la guerre de Troie, avaient réellement existé. À tel point que l'on montrait, en Troade, à l'extrême ouest de l'Hellespont (actuellement, détroit des Dardanelles), un tombeau censé être celui d'Achille. C'est là qu'au IVe s. av. J.-C., Alexandre le Grand vint rendre hommage au héros qu'il rêvait d'égaler, juste avant de se lancer à la conquête de l'Asie.

Pour nous, qui ne croyons plus à la véracité de l'histoire d'Achille, sa légende conserve cependant le souvenir d'un **fait historique** : la place et l'image du guerrier dans la société grecque à l'époque « héroïque », c'est-à-dire avant la période proprement historique (cf. ci-dessous *le mythe d'Achille*).

Puisque légende et personnage sont des créations de la **littérature grecque ancienne**, qui a fixé par écrit des récits préexistants, commençons par voir ce qui nous a été transmis.

▦ Achille dans l'épopée*

Achille, comme d'autres personnages de la guerre de Troie, apparaît d'abord dans l'**épopée**, l'une des premières formes littéraires.

Achille est le personnage principal de l'*Iliade* d'Homère (VIIIe s. av. J.-C.), la plus ancienne des épopées conservées, et l'une des plus célèbres. Le sujet de ce long poème est « la colère d'Achille », qui met en péril l'armée grecque devant Troie, et ne prend fin qu'aux funérailles de Patrocle.

Dans cette œuvre, Achille est un personnage complexe, qui présente de nombreuses facettes : guerrier exemplaire, au courage et à la force inégalés, il a aussi un sens aigu de son honneur et de la justice. Poète et musicien, il se laisse émouvoir par le vieux Priam. Ses affections ne sont jamais superficielles : qu'il s'agisse de Briséis ou de Patrocle, leur perte le rend fou de douleur. Mais quand cette folie le prend, il perd toute mesure : retournant à la sauvagerie, il contrevient aux lois de la civilisation, outrageant les morts, allant jusqu'à accomplir un sacrifice humain sur le bûcher de Patrocle. Même les dieux trouvent son comportement inadmissible.

Dans l'*Odyssée* du même <u>Homère</u>, Achille aux Enfers fait à Ulysse une déclaration qui n'a pas fini de nous surprendre : alors que la principale caractéristique du héros est d'avoir choisi une mort précoce et glorieuse plutôt qu'une longue vie terne – une fois mort, il explique à son ancien compagnon qu'il aurait préféré vivre longtemps, même misérablement, plutôt qu'être un fantôme chez Hadès.

Des autres épopées anciennes où apparaît Achille, il nous reste à peine quelques fragments. Les poètes y relataient l'enfance et l'éducation d'Achille, ou les combats qui eurent lieu à Troie entre la mort d'Hector et celle d'Achille.

🔲 Achille dans la tragédie*

À l'époque classique, le personnage d'Achille est repris dans les **tragédies**. Celles dont il était le personnage principal ont disparu. Il ne reste que celles d'<u>Euripide</u> (Ve s. av. J.-C.).

Dans *Iphigénie à Aulis* (405 av. J.-C.), il joue un rôle important, sinon central. Cette pièce de théâtre le montre droit et courageux. S'il tombe finalement amoureux d'Iphigénie, c'est à cause de la grandeur d'âme dont elle fait preuve. Aucune ombre au tableau : Achille est l'exemple même du guerrier accompli... si ce n'est qu'il est rendu impuissant par la volonté — contraire à la sienne — de l'armée grecque dans son entier.

Dans *Hécube* (424 av. J.-C.), c'est son spectre qui exige des Grecs (sur le point de quitter la Troade) qu'ils sacrifient sur sa tombe Polyxène, la plus jeune fille de Priam.

▨ Achille dans la poésie et la philosophie

Quant aux poètes, ils sont nombreux à évoquer Achille. <u>Pindare</u> célèbre surtout ses origines et les exploits de son enfance dans certaines de ses *Odes* (VIe-Ve s. av. J.-C.), d'autres poètes chantent ses amours (outre Briséis et Iphigénie, on citait Penthésilée, la reine des Amazones, et Polyxène, dont on expliquait ainsi le sacrifice : noces macabres au terme desquelles elle retrouvait Achille — dans la mort !).

Pour le philosophe <u>Platon</u> enfin (Ve-IVe s. av. J.-C.), dans le *Banquet*, la force de l'amitié entre Achille et Patrocle est exemplaire, équivalente à une relation amoureuse.

LES VOYAGES D'ACHILLE À TRAVERS LES ARTS

Le personnage d'Achille a été repris tant à Rome, dans l'Antiquité, qu'en Europe, du Moyen Âge jusqu'à nos jours.

▦ Littérature

Comme **épopées**, citons :

- l'*Achilléide* inachevée de Stace (poète latin du I^{er}s. ap. J.-C.) ;

- l'*Achilléide* byzantine (XIVe s.), qui présente Achille sous les traits d'un preux chevalier médiéval.

▦ Représentation scénique (théâtre et opéra)

Achille est l'un des principaux personnages de :

- *Iphigénie* de <u>Jean de Rotrou</u> (1640) ;

- *Iphigénie en Aulide* de <u>Jean Racine</u> (1674) ;

- *Achille à Scyros*, opéra de <u>Pierre Métastase</u>, sur une musique d'<u>Antonio Caldara</u> (1736).

- *Iphigénie en Aulide*, opéra composé par <u>Christoph Willibald Gluck</u> (1774).

Dans ces pièces, le héros est plus amoureux que chez Euripide — ce qui est caractéristique de l'époque moderne — et tout aussi valeureux.

Mais Achille change totalement de caractère dans :

- *Troïlus et Cressida* (1602) de <u>William Shakespeare</u>.

Il n'agit plus que par vanité et par caprice. Même sa victoire sur Hector est déshonorante, puisque le Troyen est désarmé ;

- *La Belle Hélène* (1864), opérette de Jacques Offenbach (musique), Meilhac et Halévy (livret), qui ridiculise complètement le « bouillant Achille ».

Peinture

Des peintres aussi importants que Pierre Paul Rubens (1577-1640), Jean Auguste Dominique Ingres (1780-1867), Eugène Delacroix (1798-1863), ont représenté Achille en valeureux guerrier.

LE MYTHE D'ACHILLE

Ainsi, le personnage d'Achille est, dès l'Antiquité grecque, quelque peu ambigu : guerrier accompli, certes, il est si convaincu de sa valeur qu'il en devient vaniteux. S'il tombe amoureux de tant de femmes, c'est cependant à Patrocle qu'il réserve la plus profonde affection. Poète et sensible, il peut devenir sauvage et sanguinaire.

Quant à son invulnérabilité, elle n'a pas la même origine selon les versions : pour les uns, Achille fut exposé au feu ; pour les autres, il fut plongé par sa mère dans le Styx. Cette version est sans doute la plus tardive, mais c'est la plus répandue.

Sa mort non plus n'est pas racontée par tous de la même façon : Achille meurt d'une flèche de Pâris qui le touche au talon, certes, mais ce peut être par traîtrise, après avoir été attiré dans un guet-apens pour un prétendu mariage avec Polyxène, ou bien en plein combat, d'une flèche dirigée par Apollon !

▦ Qu'est-ce qu'un mythe ?

Plus que de légende, on peut donc, à propos d'Achille, parler de mythe. En effet, le **mythe** est un récit dont les événements, souvent graves, ont une signification, un intérêt suffisamment universels (qui concernent tout le monde) pour être repris, ré-interprétés. Et les variations dans ce récit, qui dépendent généralement du pays, de l'époque et des idées de son auteur, sont les **versions** ou **variantes** du mythe.

Or c'est bien le cas pour Achille : sa naissance comme sa mort connaissent des variantes et — plus sérieux — son caractère subit des variations d'abord légères, dans l'Antiquité, puis bien plus accentuées, à l'époque moderne.

▦ Achille ou le mythe du guerrier

Achille, dès les premiers temps de son existence, est le **guerrier parfait**. Mais être un guerrier parfait n'est pas si simple. L'*Iliade* déjà met en évidence les caractéristiques, les contradictions et les failles du héros.

Le guerrier parfait est **invincible**. Or l'invincibilité totale supposerait l'immortalité, qui est un caractère divin, et non humain. Ainsi s'expliquent la demi-divinité d'Achille, et sa quasi-invulnérabilité. Un être humain est nécessairement **vulnérable** (puisqu'il doit mourir), même si ce n'est qu'au talon.

Notons que l'expression « **le talon d'Achille** » désigne la faiblesse qui rend vulnérable, le point par lequel on peut blesser, atteindre quelqu'un au physique comme au moral.

La grandeur du guerrier tient à son **mépris de la mort**. C'est bien le cas pour Achille, dont la vie est jalonnée d'avertissements, mais qui jamais ne se laissera épouvanter par l'annonce de sa mort prochaine.

Par ailleurs, le guerrier est nécessairement amené à tuer : quelle distance y a-t-il entre lui et la **bête féroce** qui tue sa proie ?

Le guerrier parfait est aussi celui qui ne vit que pour combattre. Que faire alors des **sentiments**, des amours ou des amitiés qui affectent les hommes ? Comment être en même temps un guerrier et un homme accompli ? Si le guerrier ignore les sentiments, il n'est plus « humain ». S'il les ressent, il ne peut plus être parfait guerrier. C'est son amour pour Briséis (et son amour-propre, bien sûr) qui amènent Achille à se retirer du combat, c'est son amour pour Patrocle qui le rend fou furieux, cruel et sauvage.

Ainsi, dès la plus ancienne Antiquité, dès l'*Iliade*, le débat est posé : **comment concilier un statut d'être humain et un statut de guerrier ?** Quelle est la facette d'Achille la plus attachante ? Son « humanité » lorsqu'il accueille Priam, ou sa valeur guerrière qui l'amène à tuer sans pitié ?

De plus, la vision que l'on a du guerrier évolue selon les sociétés et les civilisations. Si le **caractère héroïque du guerrier** n'est pas **remis en cause** en France ou en Allemagne aux XVIIe et XVIIIe s., nous voyons que ce n'est pas vrai pour Shakespeare, d'une sensibilité très proche de la nôtre, ou pour Meilhac et Halévy à la fin du XIXe s. : on peut être guerrier et homme de peu.

Une dernière question se pose à la lecture de ce mythe : comment interpréter **le choix fait par Achille** d'une vie brève et glorieuse, par opposition à une vie longue et terne ?

Il faut comprendre que, pour les anciens Grecs, il n'y avait pas réellement de **vie après la mort** : les habitants du royaume d'Hadès étaient des spectres, des fantômes. Le seul moyen de survivre après la mort était de subsister dans la mémoire des hommes, grâce aux monuments comme les tombeaux, et surtout grâce aux chants et aux poèmes qui glorifiaient les exploits héroïques. Pour survivre, il fallait donc se comporter en héros. D'ailleurs, la **mort héroïque** est seule « belle », puisqu'elle atteint des hommes jeunes, que n'a pas encore touchés la vieillesse. Voilà pourquoi elle est enviable aux yeux des héros de l'*Iliade*.

Mais une cinquantaine d'années plus tard, pour l'auteur de l'*Odyssée*, ce n'est déjà plus vrai, puisque Achille, revenant sur son premier choix, semble vouloir nous dire que cette « belle » mort héroïque n'est qu'un leurre...

La gloire ou la vie ? La vie ou la gloire ? La question reste posée...•

Lexique

Aphrodite : née d'Ouranos (le Ciel) et de l'écume de la mer, elle est déesse de la beauté et de l'amour. Pâris* l'ayant déclarée « la plus belle » lors de son jugement, elle le protège, ainsi que les autres Troyens, autant et aussi longtemps qu'elle le peut.

Apollon : fils de Zeus et de Lèto, dieu à l'arc souvent associé à Phœbos, le soleil. Dieu de la musique et des arts (il joue de la lyre et mène le chœur des Muses), dieu de la divination (on vient le consulter dans de nombreux sanctuaires, dont le principal est à Delphes), il se sert de son arc pour envoyer la mort (souvent sous forme d'épidémie). En même temps c'est un dieu guérisseur. Il protège et défend les Troyens contre les Grecs.

Artémis : fille de Zeus et de Lèto, sœur jumelle d'Apollon, armée d'un arc comme lui, elle est déesse de la chasse, souvent cruelle. Déesse vierge, elle protège les jeunes filles jusqu'au mariage. Elle est aussi déesse de la lune, comme son frère est entre autres dieu du soleil.

Athéna : fille de Zeus, sortie tout armée de sa tête, elle est sa préférée. Déesse de la guerre, elle est aussi déesse de la raison et des techniques. Furieuse d'avoir été dédaignée par Pâris, elle est aux côtés des Grecs pendant la guerre de Troie.

Autel : amoncellement de terre ou de branches, plus tard construction de pierres sur laquelle on déposait les offrandes aux dieux, on égorgeait les victimes des sacrifices puis on les brûlait (animaux seulement). Il est toujours situé en plein air, dans un sanctuaire* (culte public) ou dans chaque demeure (culte privé).

Centaures : êtres monstrueux, au corps de cheval et au buste humain. Vivant à l'écart des hommes, ils sont généralement sauvages et violents. Ils apparaissent dans différentes légendes sous cet aspect. Seuls deux centaures échappent à cette règle, dont Chiron, qui est au contraire un modèle d'être civilisé, tout en étant immortel. Il intervient à plusieurs reprises dans la vie de Pélée, c'est pourquoi il élève Achille. De même, c'est à lui que seront confiés Jason, Asclépios (fils d'Apollon), etc. Apollon lui-même aurait bénéficié de ses leçons.

Devin : prêtre qui possède l'art de connaître l'avenir, la volonté des dieux. Le plus souvent, il interprète les signes envoyés par les dieux, soit dans les entrailles des animaux sacrifiés, soit dans le vol des oiseaux. Mais certains sont réputés être directement inspirés par un dieu (le plus souvent Apollon).

Enfers : séjour des morts (il n'y a pas, chez les anciens Grecs, d'opposition du type paradis/enfer). On l'appelle aussi : **chez Hadès** ou **royaume d'Hadès**, d'après le nom du dieu des morts. Contrairement à ce qui se passe selon d'autres religions, les morts n'ont plus vraiment d'existence, ce ne sont plus que de vagues fantômes. Pour les hommes qui aspirent à une vie après la mort, il n'est qu'un moyen : survivre dans la mémoire des générations suivantes, grâce aux poèmes et aux épopées qui chanteront leurs exploits et leurs actions héroïques. C'est la fameuse « gloire » si chère au cœur d'Achille.

Épopée : très long poème qui retrace les aventures de héros aux qualités surhumaines (les *Superman* de l'époque), confrontés à des adversaires et à des dangers tout aussi inouïs. Ces poèmes, avant d'être fixés par l'écriture, étaient récités lors des fêtes, des cérémonies…

Funérailles : elles sont nécessaires au mort pour parvenir au royaume d'Hadès et trouver ainsi le repos. À une époque ancienne, les corps sont brûlés sur un bûcher, et les ossements sont enterrés. C'est une cérémonie religieuse, qui s'accompagne donc de gestes rituels (lamentations, cheveux coupés…), de prières et de sacrifices, et souvent de concours gymniques (les *jeux*).

Héphaïstos : dieu forgeron, fils de Zeus et d'Héra. Sa forge est située sous l'Etna (volcan de Sicile). Boiteux à la suite d'une chute, il provoque le rire des autres dieux de l'Olympe.

Hermès : fils de Zeus et de Maïa, coiffé d'un casque et de sandales ailés, il est le messager des dieux, de Zeus particulièrement. Il est aussi dieu protecteur des voyageurs, des commerçants et... des voleurs. Enfin, c'est lui qui est chargé d'accompagner les morts au royaume d'Hadès (les Enfers).

Libation : offrande à un dieu de quelques gouttes de vin, de lait, d'huile ou d'eau miellée, qu'on versait à terre ou sur l'autel. Le vin restant était ensuite bu par les convives.

Pâris (jugement de) : Lors d'une fête chez les dieux à laquelle elle n'avait pas été invitée, la déesse de la Discorde jeta parmi les convives une pomme d'or, qui portait l'inscription « à la plus belle ». Chacune des déesses essayant de s'en emparer, il s'ensuivit une belle bagarre. Zeus intervint et sépara les déesses. Mais quand il lui fallut décerner la pomme – et désigner ainsi « la plus belle » - il ne put se résoudre à choisir entre Héra, son épouse, Athéna et Aphrodite. Il délégua donc son rôle d'arbitre à un humain, Pâris, qui seul aurait à encourir la vengeance des deux déesses vaincues ! C'est bien ce qui arriva, après qu'il eut donné la pomme à Aphrodite, qui lui offrait l'amour d'Hélène en récompense. C'est ainsi que fut déclenchée la guerre de Troie…

Sacrifice «sanglant» : type particulier d'offrande, puisqu'il s'agit d'offrir au dieu un animal ou plusieurs. L'animal, une fois égorgé, dépecé et découpé, était partagé entre les dieux (graisse et os brûlés) et les hommes (viande bouillie et grillée). Avant cela, un prêtre examinait ses entrailles pour y lire l'avenir ou la volonté des dieux. L'animal offert dépend du dieu (animal noir pour Hadès, dieu des Enfers, par ex.), ainsi que de la fortune de celui qui offre le sacrifice ! Les particuliers pauvres « sacrifiaient » des figurines en forme d'animal…

Sanctuaire : ensemble d'un territoire consacré à un dieu et lui appartenant. Il comporte toujours un autel* et souvent un temple*. Il existe également des sanctuaires consacrés à des héros.

Temple : demeure du dieu, souvent fermée au public. Le dieu y réside sous forme de statue.

Tragédie : forme théâtrale née à Athènes au VIe s. av. J.-C. et qui s'épanouit au Ve. Elle était représentée lors de grandes fêtes religieuses. Chaque pièce mettait en scène un épisode de la vie d'un héros, menacé par des forces supérieures, dieux ou destin. Pendant toute la pièce, ce personnage cherche à échapper à cette menace, en vain. Rien n'apaise les dieux : le héros est rattrapé et écrasé par son destin.

Zeus : roi des dieux, dieu du ciel et de la foudre. Il est le garant des lois et des serments, et protège suppliants, étrangers et mendiants. Dieu volage, il ne peut résister au charme féminin, chez les mortelles comme chez les déesses. Il est frère ou père de presque tous les dieux olympiens (qui résident sur le mont Olympe), et père de nombreux héros.

L'auteur,
MANO GENTIL

Elle est née le 23 décembre 1961 à Grenoble. Diplômée de troisième cycle en Lettres modernes puis en Relations publiques, elle a été successivement responsable de communication, directrice de cabinet d'un homme politique et journaliste. Aujourd'hui, elle partage son temps entre ses deux enfants, l'écriture de ses romans et la collaboration à des magazines. Elle vagabonde aussi beaucoup à la rencontre des autres, pour animer des ateliers d'écriture ou de simples discussions autour du livre. En 2003, elle a posé ses valises pleines de mots pour une résidence d'auteur à Vénissieux, auprès de la Compagnie Traction Avant. Mais toujours ce qu'elle veut, ce qu'elle cherche, c'est regarder autour d'elle pour alimenter son envie d'inventer des histoires...

Dans la même collection,
découvrez les premières pages de :

UN PIÈGE
POUR IPHIGÉNIE

CHAPITRE I
UNE MISSIVE URGENTE

C e jour-là, il faisait beau. Ma sœur Électre et moi descendions la grand-rue de Mycènes en bavardant tranquillement. Nous n'étions pas pressées, nous ne pouvions pas aller bien loin : il nous était interdit de quitter l'enceinte de la citadelle. Pourtant c'était la ville basse qui nous attirait. Elle s'étalait en liberté au pied de nos murailles, mystérieuse et passionnante, avec ses maîtres du feu, forgerons, potiers, bouilleurs d'onguents, teinturiers...

Parfois, nous grimpions sur le chemin de ronde pour l'observer d'en haut, mais il fallait alors que les soldats de garde acceptent de rester au loin, car on n'approchait pas les filles du roi. Jamais. Notre suivante était là pour y veiller.

Ce jour-là, Électre et moi n'eûmes même pas le temps d'atteindre le rempart. Nous passions près du cercle de pierres qui abritait les vieilles tombes des ancêtres, quand une sonnerie de trompe nous cloua sur place. Au-dessus de la porte d'honneur, les soldats qui montaient la garde aux créneaux furent aussitôt en alerte. Ils bandèrent leurs arcs et pointèrent leurs flèches en direction de la route, par-delà la porte des Lionnes.

La trompe sonna de nouveau et, subitement, les gardes se détendirent.

– Ouvrez ! cria le chef.

Il y eut des exclamations, et deux soldats soulevèrent le lourd madrier de bois qui bloquait la porte. Les gonds grincèrent, le soleil se refléta violemment sur les plaques de bronze protégeant les battants, et on entendit un bruit de roulement, amplifié par la hauteur des murailles défendant le passage. Tous les yeux se rivèrent sur l'entrée.

Un char de guerre, tiré par deux chevaux écumants, déboucha alors dans la citadelle.

L'homme qui le conduisait était couvert de poussière. Son casque, orné de petits ronds rouges, arborait le panache des armées de mon père. Il s'arrêta à deux pas de nous, sauta à terre et, sans un regard autour de lui, grimpa en courant le raidillon qui menait au palais.

Les chevaux étaient en sueur. Électre me saisit par le bras et me souffla d'un air affolé :
– Il est arrivé quelque chose.

Ma sœur était d'un tempérament anxieux mais, là, je ne trouvai pas un mot pour la rassurer. Qu'un message du roi Agamemnon fût urgent à ce point n'augurait rien de bon. Avait-on perdu la guerre ? Mon père était-il gravement blessé ?

Dans les petites rues de la citadelle, la vie sembla s'arrêter. Tous les artisans qui vivaient à l'intérieur de nos remparts – les couturières, les bijoutiers, les ébénistes, les armuriers – dépendaient directement du palais, et leur survie n'était donc assurée que par nos commandes. Que la guerre soit perdue, qu'il n'y ait plus d'argent, et ils seraient les premiers touchés.

Démangées d'inquiétude et de curiosité, nous regardions vers le palais sans oser nous en approcher. Électre attendit que les palefreniers aient emmené les chevaux pour leur donner des soins, avant de murmurer :
– Et si l'ennemi était aux portes de Mycènes ?

Je n'avais pas pensé à ça. Agamemnon et ses guerriers étant retenus au loin, la ville serait en grand danger.

Un Piège pour Iphigénie

Je répondis néanmoins d'un air assuré :

– Nous pouvons soutenir un siège. Avec la nouvelle citerne, nous ne manquerons pas d'eau.

Je fis un geste en direction de l'entrée du souterrain qui, tout au bout de la citadelle, descendait dans les entrailles de la terre, là où vivaient les sources.

– Et les vivres, ajoutai-je, on en a de pleines jarres.

Je faisais la bravache, mais j'ignorais l'état des réserves. Nous n'étions que des filles, on ne nous disait jamais rien.

Électre regarda avec méfiance vers le souterrain, dont l'escalier noir et glissant nous avait toujours impressionnées. Je soulignai alors que nos remparts avaient été construits par les Cyclopes, et qu'ils étaient indestructibles. Et je priai discrètement tous les dieux de l'Olympe pour que ce soit bien vrai.

Notre suivante nous interrompit subitement :

– S'il vous plaît de m'attendre ici, mesdemoiselles, je vais m'informer.

Elle désignait une silhouette qui, du haut de l'escalier du palais, faisait de grands gestes dans notre direction. Je reconnus la nourrice de notre petit frère Oreste.

Quelques instants après, la suivante revint tout essoufflée et un peu énervée.

– Mademoiselle Iphigénie, me dit-elle, votre mère,

dame Clytemnestre, vous demande d'urgence.

– Moi ? Moi seule ?

– Seule. Elle a reçu des nouvelles et veut vous voir, c'est tout ce que je sais.

Électre et moi nous regardâmes avec surprise.

———

Table des matières

Dans la même collection

N° éditeur : 10241903 – Dépôt légal : septembre 2003
Achevé d'imprimer en novembre 2017
par La Tipografica Varese Srl (21100 Varèse, Italie)